少年必读的世界十大名著

安徒生童话

总策划 / 李继增　　主编 / 胡先妮

内蒙古出版集团
远方出版社

图书在版编目（ＣＩＰ）数据

安徒生童话/ 胡先妮主编. —呼和浩特:远方出版社,2008.5
（少年必读的世界十大名著） （2011，10重印）
ISBN 978 - 7 - 80723 - 331 - 2

Ⅰ.安… Ⅱ.胡… Ⅲ.汉语拼音—儿童读物 Ⅳ.H125.4

中国版本图书馆 CIP 数据核字(2008)第 070389 号

少 年 必 读 的 世 界 十 大 名 著

——**安徒生童话**

总 策 划	李继增	**装帧设计**	安丰文化	
主　　编	胡先妮	**美术统筹**	雷　力	
责任编辑	张　宇	**版面设计**	宋安慧	

出版发行	远方出版社
社　　址	呼和浩特市乌兰察布东路 666 号
电　　话	0471 - 4919981(发行部)
邮　　编	010010
经　　销	新华书店
印　　刷	三河市冠宏印刷装订厂
开　　本	710×1000　1/16
字　　数	500 千字
印　　张	120
版　　次	2011年10月第2版
印　　次	2011年10月第2次印刷
印　　数	1-5000
标准书号	ISBN978 - 7 -80723 - 331 - 2
总 定 价	**258.00** 元(全十册)

少年儿童是富于想象的，在他们的眼睛里，一切都是有生命的。因此，他们的世界是童话的世界，他们喜爱童话。许多色彩斑斓的童话向他们展现了一个个迷人的世界，无数动听的故事教会了孩子们如何辨别美与丑、善与恶、真与假、诚实与欺骗、友爱与仇恨、正直与狡猾、勇敢与软弱、智慧与愚笨……它像一盏神奇的灯，照亮孩子们的心和他们前进的路，引领他们茁壮、健康地成长。正是基于此，我们精选了一套适合少年儿童阅读的文学精品缩写本。

这套丛书取材广泛，包罗万象。《安徒生童话》、《格林童话》和具有浓郁阿拉伯民间文学特色的《一千零一夜》，将你带入五彩的童话王国，在培养想象力的同时，教你领会真、善、美的真谛；《伊索寓言》故事短小却意味深长，文中蕴含哲理，启迪你

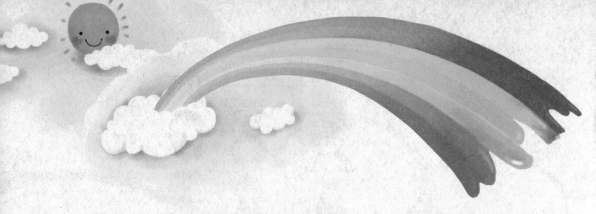

的智慧；《钢铁是怎样炼成的》将人性的不朽和伟大的抗争精神传颂至今；《鲁滨逊漂流记》和《木偶奇遇记》具有典型的西方文学风味，极具趣味的故事情节和生动的描叙会令你心驰神往，不忍释卷；《爱的教育》用一颗最稚嫩的心诠释人间真情，像一股暖流注入心田；《童年》描述了作者的幼年生活，内容真实，令人感触良多；《昆虫记》是一本科普读物，却摆脱了一般科普作品缺乏生动描写的弱点，读罢此书，相信你会对这些生活在大千世界中的小精灵有更加深入的了解……

为了满足少年朋友们急切的求知欲和阅读激情，我们进行了精心编选。在编写过程中，充分考虑到小朋友的认知特点，增强了每篇文章的可读性和趣味性。在语言方面，注重口语化、简洁化，让小读者在不知不觉中促进思维的发展，使其更适合小读者的口味。

书籍是孩子进步的阶梯，故事是孩子最好的启蒙老师。诚挚地希望本丛书能通过家长、老师，带给孩子们智慧、快乐，伴随他们健康、茁壮的成长。

编　者

目录

CONTENTS

目录

CONTENTS

皇帝的新装
huáng dì de xīn zhuāng

很久很久以前，有一位皇帝，他非常爱穿新衣服，衣服越漂亮，他越高兴。每过一个钟头，他就要换一套新衣服。但他对国家大事却从来不管。

一天，两个骗子来到后宫，他们说自己是织工，能织出世上最美丽的布。他们夸耀自己的布有一种神奇的功能，那就是用这种布做成衣服，愚蠢的人、不称职的人是看不见的。皇帝听了十分高兴，他想：我穿上这种衣服，就可以知道臣民中谁聪明、谁傻、谁不称职了。他给了骗子很多钱，吩咐他们开始工作。

两个骗子在一间大房子里摆上两架织

机，两个人在机器前不停地工作，忙

忙碌碌。机器的声音响个不停，

可是织机上却什么东西也没

有。他们不断地向皇帝要

生丝，要金子，全装

进自己的口袋。

皇帝派了最老

实的老部长和最诚实

的大官连续两天去检查

织工的工作。他们并没

有看见织机上有布，害怕织工说自己蠢，就随着织工

说："布上的花纹太美了！色彩也太漂亮了！"皇帝听

到汇报，就亲自去看织布。皇帝来到织机前，没有看到

一根线，只看到两人的手忙个不停。皇帝震惊了：我是

最蠢的皇帝吗？我怎么什么也没看见？啊！太可怕了！

两个织工凑到皇帝面前，指点着织机对皇帝说："尊敬

的陛下！请您仔细看看，多么美丽的花纹！多么艳丽

的色彩！我们要连夜为皇帝赶制新衣！您穿上这样

的礼服去游行，全国的老百姓都会向您祝贺，为您骄傲。"接着，两个人又不停地干起来。夜深了，两人点起十六支蜡烛，又剪又缝，忙了整整一夜。

第二天，皇帝听了两个骗子的话，脱光了身上的衣服，又在骗子的指导下穿上裤子，穿上上衣，穿上袍子，然后对着镜子扭动着身体，好像在欣赏新衣的美丽。两个托披风的内臣在地上摸来摸去，好像托起了衣袍似的。

游行开始了，皇帝在街上走着，站在街道两旁的人很多。有人夸赞说："皇帝的新装太漂亮了！"接着，有人随声附和："是的，太漂亮了！"可是一个小孩子却喊着说："皇帝什么衣服也没有穿呀！"这天真的声音传开了。

最后所有围观的人都说："他确实是什么衣服也没有穿呀！"皇帝心里直发慌，可又想把游行大典举行完毕，就光着身子继续向前走。皇帝真可怜呀！

mài huǒ chái de xiǎo nǚ hái
卖火柴的小女孩

tiān qì lěng jí le xià zhe xuě hēi yè yě kuài lái lín le zhè shì
天气冷极了，下着雪，黑夜也快来临了。这是
shèng dàn jié qián xī de yī gè wǎn shang yī gè guāng zhe xiǎo jiǎo de xiǎo nǚ hái
圣诞节前夕的一个晚上，一个光着小脚的小女孩
zhèng zài jiē shang zǒu zhe
正在街上走着。

tā yuán lái hái chuān zhe yī shuāng hěn dà de tuō xié dàn nà yǒu shén me
她原来还穿着一双很大的拖鞋，但那有什么
yòng ne nà shuāng tuō xié hěn dà shì tā mā ma chuān de tā zài guò mǎ lù
用呢？那双拖鞋很大，是她妈妈穿的。她在过马路
de shí hou wèi le duǒ bì fēi chí de
的时候，为了躲避飞驰的
mǎ chē pǎo diào le yī zhī zěn me
马车，跑掉了一只，怎么
yě zhǎo bù zháo lìng yī zhī jiào yī
也找不着，另一只叫一
gè nán hái jiǎn qù ná pǎo le
个男孩捡去拿跑了。

xiǎo nǚ hái zhǐ hǎo guāng
小女孩只好光
zhe yī shuāng jiǎo zǒu lù
着一双脚走路——
xiǎo jiǎo yǐ jīng dòng de hóng
小脚已经冻得红
zhǒng chà bù duō shī qù
肿，差不多失去
le zhī jué tā de jiù
了知觉。她的旧

wéi qún lǐ zhuāng zhe hěn duō huǒ chái   shǒu lǐ hái ná zhe yī bǎ   zhè yī
围裙里装着很多火柴，手里还拿着一把。这一

zhěng tiān   tā bù duàn de āi qiú lù rén   mǎi xiē huǒ chái
整天，她不断地哀求路人："买些火柴

ba   kě shì méi rén lǐ cǎi tā   tā yī gè qián yě méi
吧！"可是没人理睬她，她一个钱也没

yǒu zhèng dào
有挣到。

kě lián de xiǎo nǚ hái   tā yòu lěng yòu è   duō duō suō suō de wǎng qián
可怜的小女孩！她又冷又饿，哆哆嗦嗦地往前

zǒu   nǚ hái nuó bù dòng shuāng jiǎo le   yú shì   tā zài yī zuò fáng zi de qiáng jiǎo
走。女孩挪不动双脚了，于是，她在一座房子的墙角

lǐ zuò xià lái   xiǎo gū niang bù gǎn huí jiā   yīn wèi tā méi yǒu zhuàn dào yī gè
里坐下来。小姑娘不敢回家，因为她没有赚到一个

qián   bà ba yī dìng huì dǎ tā de   zài shuō   jiā lǐ hěn lěng   gēn jiē shang yī yàng
钱，爸爸一定会打她的，再说，家里很冷，跟街上一样。

nǚ hái de yī shuāng xiǎo shǒu jǐ
女孩的一双小手几

hū dòng jiāng le   tā chōu chū yī
乎冻僵了。她抽出一

gēn huǒ chái   xiǎng
根火柴，想

yòng tā lái nuǎn
用它来暖

nuǎn xiǎo shǒu
暖小手。

chī   huǒ chái rán zháo
哧！火柴燃着

le   mào chū huǒ yàn lái le
了，冒出火焰来了！

nǚ hái jué de zì jǐ hǎo xiàng zuò zài
女孩觉得自己好像坐在

yī gè dà huǒ lú qián   huǒ shāo de hěn
一个大火炉前，火烧得很

wàng   nuǎn hōng hōng de   zhēn hǎo a
旺，暖烘烘的，真好啊！

āi   zěn me huí shì er   xiǎo gū
哎，怎么回事儿？小姑

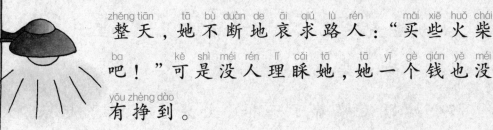

娘刚想把脚伸出去，想让脚也暖和一下，火柴就灭了，火炉也看不见了。她坐在那儿，手里只剩下一根烧过了的火柴梗。

小姑娘又擦着了一根。火柴重新燃了起来，火光照亮了女孩靠着的墙壁，可以一直看到屋里。桌上铺着考究的台布，摆着精致的餐具，还有香喷喷的烤鹅。更妙的是，那只鹅竟摇摆着向女孩走来。就在这时，火柴又熄灭了，小姑娘的眼前仍然是一片漆黑。

她又点着了一根火柴。这一回，女孩看到了一棵高大美丽的圣诞树，当她伸出手去的时候，火柴又灭了。只见圣诞树上的烛光越升越高，变成了很亮的星星，其中有一颗拖着长长的尾巴落下来。

"有一个人快要死了。"小女孩说。因为惟

一疼她的祖母曾告诉过她：一颗星星落下来，就有一个灵魂要升天了。

小姑娘又擦了一根火柴，她的周围全亮了起来。祖母出现在亮光里，是那么的慈爱。

她赶紧擦着了一整把火柴，她要把祖母留住。祖母疼爱地把女孩抱在了怀里，她们俩在光明和快乐中飞走了，飞到没有寒冷，没有饥饿，也没有忧愁的地方去了。

第二天清早，有人发现了小女孩的尸体，她是在旧历的大年夜被冻死的，手里还拿着一把烧过了的火柴梗。但没有人知道，她曾经看到过那么美丽的东西，她是跟着祖母追求幸福去了！

海的女儿
hǎi de nǚ ér

大海真美！海水蓝蓝的，清清的，深深的。在大海最深最美的地方居住着海王一家。

王后去世多年了，可海王的老母亲还十分健康，她慈祥、善良，她管理着宫中的一切，照看着自己那六个可爱的小孙女——海公主，她非常疼爱她们。她们没有腿，但她们却拥有一条美丽的长长的鱼尾。六位海公主一个比一个聪明美丽，但最可爱的是那位最小的小妹妹。

海公主们生活得很快乐，老祖母常常给她们讲人类的故事，并准许她们到十五岁时就可以游到海面上去看看人间的样子。

六位公主一个比一个大一岁，她们盼啊盼啊，终于盼到了大姐十五岁那一天。大公主在海面上玩了一天，回来以后，她讲到沙滩、灯光、音乐、人声、教堂的钟声……大家都很爱听，小妹妹听得最认真。

以后每一年都有一位姐姐浮到海面上，后来五位姐姐都去过海面了，她们随意地玩，一次，两次，三次……时间一长，姐姐们更希望呆在家里，她们说在海底的宫殿里生活最舒服。

这一天，小公主终于盼到了十五岁的生日。奶奶帮她梳洗打扮得比姐姐们更漂亮。她浮到海面，看到一艘大船，船上很多人在为一位英俊潇洒的王子过十六岁生日。水手们在甲板上跳舞，然后又放起焰火，礼花升到天空，五彩缤纷，整个夜空辉煌灿烂，真美呀! 小王子和大家一起欢笑……

夜深了，小公主仍舍不得离去。后来

天空中乌云越来越多，浪涛也越来越大。呀！暴风雨来了！船上张起船帆也不管用，狂风把船吹歪了，巨浪把船打碎了，船上的人纷纷落水，被大海淹没，小王子也沉到海里去了。小公主奋力游到王子身边，把他的头托出水面，随着浪涛漂流。天亮了，风暴也停了。小公主把王子送到一片洁净的沙滩上，不远处就有一座雄伟的白色建筑。一阵钟声响过，几个活泼可爱的女孩子穿过花园向沙滩走过来了。小公主连忙游向远处，躲在浪花后面。

bù yī huì er　　yí gè piào liang de nǚ hái ér tā xiàn le wáng zǐ　tā jiào
不一会儿，一个漂亮的女孩儿发现了王子，她叫

lái pú rén　bǎ wáng zǐ tái dào bái sè jiàn zhù wù lǐ qù le
来仆人，把王子抬到白色建筑物里去了。

xiǎo gōng zhǔ mò mò de huí dào hǎi dǐ de gōng diàn　jiě jie men wèn
小公主默默地回到海底的宫殿，姐姐们问

tā dì yī cì qù hǎi miàn kàn dào le shén me　tā shén
她第一次去海面看到了什么，她什

me yě méi yǒu shuō
么也没有说。

cóng cǐ　xiǎo gōng zhǔ jīng cháng fú chū hǎi miàn qù
从此，小公主经常浮出海面去

nà piàn shā tān　què zài yě méi yǒu kàn dào bèi zì jǐ
那片沙滩，却再也没有看到被自己

jiù huó de wáng zǐ　xiǎo gōng zhǔ xīn lǐ fēi cháng tòng
救活的王子。小公主心里非常痛

kǔ　tā biàn de gèng jiā chén mò　hòu lái　jiě jie men
苦，她变得更加沉默。后来，姐姐们

zhī dào le tā de xīn shì　jiù dài zhe tā fú dào shuǐ miàn　lái dào yī zuò huá lì de
知道了她的心事，就带着她浮到水面，来到一座华丽的

gōng diàn qián　yuán lái xiǎo wáng zǐ jiù zhù zài zhè li ya　xiǎo gōng zhǔ shí fēn gāo xìng
宫殿前，原来小王子就住在这里呀！小公主十分高兴，

tā cháng shí jiān de zài zhè li guān chá　kàn wáng zǐ chéng chuán
她长时间地在这里观察，看王子乘船

chū hǎi　tīng wáng zǐ yǔ rén men jiāo tán　jiàn
出海，听王子与人们交谈。渐

jiàn de　xiǎo gōng zhǔ
渐地，小公主

xiǎng jiā rù rén lèi
想加入人类

de shēng huó　tā wèn
的生活，她问

lǎo zǔ mǔ yǒu guān
老祖母有关

rén lèi de shì qing
人类的事情。

nǎi nai gào
奶奶告

诉她："人是会死的，生命比我们还短暂。我们可以活到三百岁，但我们没有灵魂，死后就变成水上的泡沫；而人类却有一个不灭的灵魂。"

小公主很想自己能变成人，哪怕只活一天，也是好的。祖母却劝告她："海底的生活是幸福的，千万不要想着去当人。"祖母又说："如果有一个人喜欢你、爱你，并且要有牧师来做证明，那么他就可以分给你一个灵魂，但这是不可能的。因为我们认为美丽无比的鱼尾，人却没有，他们认为鱼尾太难看了，他们生有两条又呆又笨的人腿！"

可是海底的生活已经拴不住小人鱼了。她还是想到人类中去生活。

于是，她就去找海里的巫婆，恳请她帮忙。巫婆答应把她变成人，但要

收去她美丽的声音做报酬，并告诉她：

"如果王子和别人结婚了，那一天，你就会变成水上的泡沫。"

小公主答应了巫婆的要求，她终于变成了一位漂亮的少女，也有了人腿，但每走一步都像踩在刀尖上。即使这样，小人鱼也情愿忍受痛苦，她走得仍然很轻盈。

王子发现了她，领她来到皇宫里，她面对着王子微笑，为他跳舞，然而她既不能唱歌，也不能讲话。王子喜欢和她在一起，并亲吻她的前额，向她诉说自己的心事，却不知她就是自己的救命恩人。

王子马上就要结婚了，但新娘却不是小海公主，而是邻国的公主，是王子心目中的女神。海王的小公主将要做伴娘。这一天，小公主用尽全力为新郎跳舞，因为她知道这是她当人的最后一个晚上了，黎明的第一道阳光出现时，将是她灭亡的时刻。

等到夜深人静时，小公主的五个姐姐全来了，并交给她一把刀子，让她把刀子扎进王子的心脏，这样，她就又会变成快乐的小人鱼回到海底的宫殿。

小公主实在不忍心去杀害王子，她把刀扔到大海里，自己也跳入大海。她觉得自己的身躯在融化成为泡沫。可是她并没有感到灭亡，她看到了明亮的太阳和无数透明的美丽的生物。小人鱼觉得自己也获得了这样的形体，慢慢地升起来了。她听到一个悦耳的声音告诉她："到天空的女儿那里去，去做一切善良的事，三百年后就可以创造出一个不灭的灵魂。"

那个声音继续说："我们无形无影的身体到每一个家庭里去，帮助每一个孩子成为好孩子，考验我们的时间就会缩短。"小公主听到这些，露出了欣慰的笑容。

沼泽王的女儿
zhǎo zé wáng de nǚ ér

很久很久以前，在一片沼泽地附近住着一对鹳
鸟夫妇和它们的孩子。一
天，鹳鸟妈妈看见远处飞来
三只美丽的天鹅。

原来，这三只天鹅是
埃及国王的三个女儿。
埃及国王病得很严重，她
们听说这片沼泽地有
一种莲花可以治国
王的病，便穿上天鹅
羽衣，飞到了这里。

她们落在草地上的一棵树上，小天鹅脱下了她
美丽的羽毛，变成那个最小的埃及公主。

小公主对两位姐姐说："请你们看管我的羽衣，

wǒ xiàn zài jiù tiào dào zhǎo zé dì shang qù cǎi zhāi nà duǒ shén qí wú bǐ de lián huā
我现在就跳到沼泽地上，去采摘那朵神奇无比的莲花。"

dàn shì dāng tā gānggāng bǎ chì
但是，当她刚刚把赤
jiǎo fàng zài zhǎo zé dì shang de shí
脚放在沼泽地上的时
hou tā de liǎng wèi jiě jie tū
候，她的两位姐姐突
rán cóng shù shang fēi qǐ lái xián
然从树上飞起来，衔
zhe xiǎo gōng zhǔ tuō xià de yǔ yī
着小公主脱下的羽衣，
yuè fēi yuè gāo liǎng gè jiě
越飞越高。两个姐
jie è hěn hěn de shuō
姐恶狠狠的说：
nǐ chén xià qù ba
"你沉下去吧！
nǐ zài yě bù néng huí
你再也不能回
āi jí le
埃及了！"

liǎng wèi jiě jie bǎ xiǎo gōng zhǔ de tiān é yǔ máo yī sī chéng le suì piàn
两位姐姐把小公主的天鹅羽毛衣撕成了碎片，
rán hòu hā ha dà xiào zhe fēi zǒu le
然后，哈哈大笑着飞走了。

guàn niǎo fū fù cóng lái méi yǒu yù dǎo guò zhè yàng kě wù de chǎngmiàn tā
鹳鸟夫妇从来没有遇到过这样可恶的场面，它
men bù duàn de shuō tài kě pà le tài kě pà le
们不断地说："太可怕了！太可怕了！"

kě lián de xiǎo gōng zhǔ zhěng gè shēn tǐ dōu chén dào zhǎo zé dì li qù le
可怜的小公主整个身体都沉到沼泽地里去了。

nà liǎng wèi jiě jie fēi huí wánggōng duì dà jiā shuō tā men zài fēi xíng
那两位姐姐，飞回王宫，对大家说，她们在飞行
tú zhōng yù dào le yī gè xīn hěn shǒu là de liè rén shè zhòng le xiǎo mèi mei
途中，遇到了一个心狠手辣的猎人，射中了小妹妹，
xiǎo mèi mei diào dào dà hú li qù le
小妹妹掉到大湖里去了。

鹳鸟夫妇气愤极了，它们飞进埃及王宫，拿走了两个姐姐的羽衣，带回到沼泽地。

当鹳鸟们飞回来的时候，它们发现沼泽地上长出了一棵又大又美的莲花。花瓣里坐着一位美丽的女人，女人的怀里抱着一个小女孩。

原来，埃及小公主沉到沼泽地里，把自己的遭遇告诉了沼泽王。沼泽王同情地说："你要采摘的莲花就是我的女儿。你是一个心地善良的公主，我送你一朵莲花。"

就这样，小公主就抱着沼泽王的女儿升到地面上，坐在一朵美丽的大莲花里。

鹳鸟夫妇把两件羽衣向她们扔下来。小公主和沼泽

wáng de nǚ ér chuānshàng le tiān é yǔ yī   fēi xiàng le kōngzhōng
王的女儿穿上了天鹅羽衣，飞向了空中。

tā men xiàngguàn niǎo fū fù pāi pāi chì bǎng   biǎo shì gǎn xiè   rán hòu yuè
她们向鹳鸟夫妇拍拍翅膀，表示感谢，然后越

fēi yuè yuǎn   tā men yī zhí fēi dào āi jí de wánggōng li   dāng tā men tuō xià
飞越远。她们一直飞到埃及的王宫里，当她们脱下

yǔ yī   rén men fā xiàn qí zhōng yī gè zhèng shì xiǎo gōng zhǔ
羽衣，人们发现其中一个正是小公主。

xiǎo gōng zhǔ dài zhe zhǎo zé wáng de nǚ ér xiàng guó wáng zǒu qù   dāng zhǎo
小公主带着沼泽王的女儿向国王走去。当沼

zé wáng de nǚ ér yòngmíng liàng de yǎn jing wàng zhe shuāi lǎo de guó wáng shí   guó wáng
泽王的女儿用明亮的眼睛望着衰老的国王时，国王

de liǎn shang lì kè fā chū hóngguāng   hún zhuó de mù guāng mǎ
的脸上立刻发出红光，浑浊的目光马

shàng biàn de qīng chè   tā cóng chuáng
上变得清澈。他从床

shang zuò qǐ lái   hū rán biàn de yòu
上坐起来，忽然变得又

nián qīng yòu jiàn kāng   tā jǐn jǐn yōng
年轻又健康。他紧紧拥

bào zhe xiǎo gōng zhǔ hé zhǎo zé wáng de
抱着小公主和沼泽王的

nǚ ér   jī dòng de shuō bù chū huà lái
女儿，激动得说不出话来。

zhè shí   zhěng gè gōng diàn li
这时，整个宫殿里

xiǎng qǐ le xìng fú de gē shēng
响起了幸福的歌声，

měi lì dòng tīng de gē shēng
美丽动听的歌声

fēi xiàngquán guó de sì miàn
飞向全国的四面

bā fāng
八方。

liǎng gè hài rén de jiě jie shòu dào le chéng fá   bèi gǎn chū le āi jí
两个害人的姐姐，受到了惩罚，被赶出了埃及。

丑小鸭

夏天，乡间美极了！在绿油油的原野上，一条清澈的小溪旁，鸭妈妈正在草丛中孵蛋。

已经十多天过去了，忽然，鸭妈妈觉得有动静，低头一看，鸭蛋一个个裂开了，毛绒绒的鸭宝宝一个接一个钻出蛋壳。鸭妈妈高兴极了，"嘎！嘎！"地呼唤着孩子们。鸭妈妈看到还有一个大大的蛋躺在地上，就赶紧又上去孵。

这时，一位邻居老母鸭来看望她，知道了这件事，就劝告说："这一定是火鸡的蛋，你不要再孵了！"可鸭妈妈不信，仍旧耐心地孵下去。

过了几天，蛋壳终于裂开了，从里面爬出了一只又大又丑的鸭宝宝。第二天，鸭妈妈带着她所有的孩子跳进小溪里，准备游到养鸭场去。鸭妈妈嘱咐孩子们不要去招惹那只拴红布条的老母鸭，因为她是鸭场的官。到了鸭场，鸭群们对鸭妈妈这一队并没有表示热烈的欢迎，尤其是对那只丑小鸭，更是看不起。老母鸭不在时，鸭群就结伙起哄，对丑小鸭又踢又啄，因为老母鸭说她非常讨厌那只长得很丑的小怪物。

后来，连鸭妈妈也保护不了自己的孩子了，鸭哥鸭姐也感到受了连累，都排挤他。丑小鸭感到很悲哀，就逃走了。丑小鸭来到一块沼泽地。这里也有许多野鸭，可是谁也不跟他玩。野鸭都飞走

hòu yòu fēi lái liǎng zhī dà yàn tā men zhǐ liáo le jǐ
后，又飞来两只大雁。他们只聊了几

jù huà dà yàn jiù yào fēi zǒu kě shì gāng fēi
句话，大雁就要飞走。可是刚飞

qǐ lái jiù tīng jiàn pā pā liǎng shēng qiāng
起来，就听见"啪！啪！"两声枪

xiǎng yuán lái liè rén men zhèng zài zhè li dǎ liè
响，原来猎人们正在这里打猎，

liǎng zhī dà yàn bèi tā men dǎ sǐ le
两只大雁被他们打死了。

chǒu xiǎo yā jí jí máng máng duǒ
丑小鸭急急忙忙躲

jìn cǎo cóng shēn chù bù jiǔ yī zhī liè gǒu gēn
进草丛深处，不久一只猎狗跟

guò lái le tā zhǐ wén le wén chǒu xiǎo yā shén me yě
过来了，他只闻了闻丑小鸭，什么也

méi yǒu shuō jiù pǎo zǒu le xiǎo yā yī dòng bù
没有说，就跑走了。小鸭一动不

dòng tā nán guò de xiǎng dà gài shì zì jǐ zhǎng de
动，他难过地想：大概是自己长得

tài chǒu le ba chǒu de lián liè gǒu dōu bù yuàn yì yǎo wǒ
太丑了吧！丑得连猎狗都不愿意咬我。

chǒu xiǎo yā yī zhí duǒ zài cǎo cóng li zhí dào
丑小鸭一直躲在草丛里，直到

tiān hěn hēi le yī diǎn shēng yīn yě méi yǒu le cái
天很黑了，一点声音也没有了，才

gǎn chū lái tā pǎo ya pǎo ya pǎo dào yī gè
敢出来。他跑呀跑呀，跑到一个

mù chǎng zài yī jiān nóng jiā xiǎo wū qián
牧场，在一间农家小屋前

tíng xià lái xiǎo wū de zhǔ rén shì yī
停下来。小屋的主人是一

wèi lǎo pó po jiā li hái yǒu yī zhī
位老婆婆，家里还有一只

māo hé yī zhī mǔ jī chǒu
猫和一只母鸡。丑

xiǎo yā zài zhè li zhù le xià
小鸭在这里住了下

来。可是老婆婆也不喜欢他，因为他不是母鸭，不会生蛋。猫和母鸡又总是自以为是，嫌他又丑又笨。他离开了小屋，又开始流浪了。

他在水里游泳，在岸上找食物。他碰到许多动物，大家都嫌他丑，不跟他玩，他痛苦极了。

天渐渐冷了。一天黄昏，他看到一群白天鹅飞过这里，到暖和的地方去。他们既高大又美丽，骄傲地飞在高空中，还"哦哦"地唱着歌。

丑小鸭又羡慕又兴奋，也"哦哦"地唱起来，那叫声连自己听后都有些难为情。白天鹅飞远了，丑小鸭多想和他们一起飞呀！可是他知道自己丑，那些大鸟连看都不看他一眼。

冬天到了，天气很冷，他怕河水结冰，不停地在水里游来游去。可能是他太累了，终于昏倒在河水里。他一动不动，竟然和冰块结在一起了。

第二天清晨，一个好心的农夫发现了他，把他救回家去，让妻子饲养他。几个小孩子都想跟他玩，可丑小鸭以为又要受欺负了，就躲来躲去，不小心撞倒了牛奶瓶，踢翻了黄油盆，又飞进了面粉桶。他惹了祸，女主人追着打他，他只好再次逃走了。

寒冷的冬天终于过去了，温暖的春天终于来到了！丑小鸭一拍翅膀就飞起来了。他飞到

yī zuò huā yuán li　kàn dào shuǐ miànshang yóu dòng zhe
一座花园里，看到水面上游动着

sān zhī měi lì de bái tiān é　hǎo gāo xìng ya
三只美丽的白天鹅，好高兴呀！

tā luò dào shuǐ miànshang　xiàng sān
他落到水面上，向三

zhī bái tiān
只白天

é yóu guò
鹅游过

qù　tā
去。他

yī biān yóu
一边游

shuǐ yī biān
水，一边

xiǎng　zhè
想：这

zhǒng niǎo nà
种鸟那

me měi lì　nà me gāo guì　rú guǒ néng hé tā men jiāo péng yǒu　jí shǐ tā men
么美丽，那么高贵，如果能和他们交朋友，即使他们

shāng hài zì jǐ　zì jǐ yě xīn gān qíng yuàn　tā biān xiǎng biān bì shàng yǎn zhǔn bèi
伤害自己，自己也心甘情愿。他边想边闭上眼准备

ái dǎ　kě shì bàn tiān méi yǒu dòng jìng　zěn me huí shì　tā zhēng kāi yǎn yī
挨打，可是半天没有动静。怎么回事？他睁开眼一

kàn　yuán lái zì jǐ jiù zài tā men shēn biān ya　zài yī dī tóu　yā zì jǐ
看，原来自己就在他们身边呀！再一低头，呀！自己

de dào yǐng hé nà sān zhī bái tiān é wán quán yī yàng　yě shì bái bái de　gāo
的倒影和那三只白天鹅完全一样，也是白白的、高

dà de　yòu shén qì　yòu měi lì　yuán lái zì jǐ jiù shì yī zhī bái tiān é
大的，又神气、又美丽！原来自己就是一只白天鹅！

tā gǎn dào xìng fú jí le
他感到幸福极了。

拇指姑娘

mǔ zhǐ gū niang

从前，有一个孤零零的老妇人，她非常想要

一个孩子，就去求见一位巫婆。

巫婆送给她一颗大麦粒。老妇人回到家里，就

把麦粒种在花盆里，很快就长出一朵红色的郁金香。

花儿含苞欲放，老妇人亲吻那花瓣，忽然花儿

开放了，在花心那绿色

的雌蕊上面坐着一位

娇小的女孩儿。

她还没有拇指大，

皮肤白白嫩嫩，好可爱

呀！老妇人把她捧在

手心里，叫她"拇指姑娘"。

拇指姑娘的摇篮是

半个胡桃壳，用紫罗兰

花瓣做垫子，玫瑰花瓣做被子。老妇人还用盘子做个池塘，拇指姑娘玩得很开心。

一天深夜，一只难看的癞蛤蟆钻进屋子，在桌子上发现了正在熟睡的拇指姑娘，就把她偷走了，要让她给自己的儿子做媳妇。

小姑娘醒来，发现自己是在小溪水面的一片落叶上，她不愿嫁给癞蛤蟆的儿子，伤心地哭个不停。小鱼们非常可怜她，决定帮她逃走。她们游到落叶下面，用牙齿咬断叶梗，落叶就托着拇指姑娘顺着水流漂走了。

落叶漂呀漂呀，一直漂到了国外。忽然一只好大的金龟子飞过来，一把抓住拇指姑娘飞到空中，又落在一棵大树上。这里有好多金龟子，他们七嘴八舌，说小姑娘没有触须，还有两条腿，太丑了，简直像个妖怪。金龟子把拇指姑娘放在一朵菊花上就飞走了。现在只剩下小姑娘一个人了，她哭得更伤心了。

整个夏天和秋天，可怜的小姑娘一个人住在这巨大的树林里。她用草叶为自己编床，从花里取出花蜜做食物，收集叶子上的露珠做饮料。秋天过去了，冬天来了，北风吹在身上，十分寒冷！拇指姑娘走出树林，来到一片收割过的麦田里。

她走呀走呀，在一个田鼠的家门口停下来。这是在一棵麦根下面的小洞。拇指姑娘被老田鼠热情地收留了。老田鼠家里有足够的存粮，还有干净的厨房和餐厅。主人允许小姑娘在自己家里度过冬天，但是要帮助搞好卫生。拇指姑娘在这里住下来了。

田鼠的邻居鼹鼠要来做客了。听说他不仅有学问也很有钱，身上穿黑天鹅绒袍子，住房十分宽敞，只是他双目失明。

田鼠希望拇指姑娘能跟鼹鼠结婚，拇指姑娘非常不愿意。鼹鼠来了，拇指姑娘为他唱歌，歌声美丽动听，客人很高兴，并且欢迎她到自己家去做客。

于是，鼹鼠挖了一条长长的地道，直通到田鼠家，硬要拇指姑娘跟他走。在地洞里，鼹鼠嘱咐她千万不要去碰那只死鸟。

拇指姑娘发现这是一只燕子，可能是不久前冻死的，她心里十分难过。因为在以后她寂寞的时候，也许这只燕子能用欢乐的歌声来陪伴她。

夜深了，拇指姑娘悄悄来到地道里，把很多棉花和自己亲手编织的毯子

gài zài yàn zi shēnshàng
盖在燕子身上。

hū rán tā fā xiàn yàn zi de xīn zàng hái zài tiào dòng yuán lái tā hái huó
忽然她发现燕子的心脏还在跳动，原来他还活

zhe zhǐ shì dòng jiāng le dì èr tiān yè li xiǎo gū niang yòu qiāo qiāo lái dào
着，只是冻僵了。第二天夜里，小姑娘又悄悄来到

dì dào li fā xiàn yàn zi yǐ jīng xǐng guò lái le
地道里，发现燕子已经醒过来了。

yàn zi gào su tā zì jǐ de yī gè
燕子告诉她自己的一个

chì bǎng bèi cā shāng le suǒ yǐ méi néng hé yàn
翅膀被擦伤了，所以没能和燕

qún yī qǐ fēi zǒu xiǎo gū niang gěi yàn zi
群一起飞走。小姑娘给燕子

wèi shuǐ wèi shí wù yàn zi yī zài biǎo shì gǎn xiè
喂水，喂食物，燕子一再表示感谢。

cóng cǐ měi tiān yè li mǔ zhǐ gū niang
从此，每天夜里，拇指姑娘

dōu lái zhào gù yàn zi zhěng zhěng yī gè dōng
都来照顾燕子。整整一个冬

tiān yàn zi zhōng yú huī fù le jiàn kāng
天，燕子终于恢复了健康。

chūn tiān lái le yàn zi yào dài
春天来了，燕子要带

mǔ zhǐ gū niang fēi zǒu kě shì xiǎo
拇指姑娘飞走。可是小

gū niang yào zhào gù lǎo tián shǔ bù rěn
姑娘要照顾老田鼠，不忍

xīn zǒu jiù liú xià lái le
心走，就留下来了。

bù jiǔ yǎn shǔ zhèng shì xiàng mǔ zhǐ gū niang qiú hūn lǎo tián shǔ bī tā
不久，鼹鼠正式向拇指姑娘求婚，老田鼠逼她

dā ying hūn shì bìng guī dìng tā zài xià tiān zhǔn bèi hǎo jià yī hūn lǐ yào zài
答应婚事，并规定她在夏天准备好嫁衣，婚礼要在

qiū tiān jǔ xíng
秋天举行。

qiū tiān lái le jiù yào jǔ xíng hūn lǐ le mǔ zhǐ gū niangzhàn zài dòng
秋天来了，就要举行婚礼了，拇指姑娘站在洞

口，流着眼泪和太阳告别，因为嫁给鼹鼠以后她只能永远生活在地下，难见天日。

忽然，她听到"滴哩！滴哩！"的歌声，抬头一看，原来是她的好朋友燕子飞来了。

燕子看到拇指姑娘伤心的眼泪，知道她不愿意做鼹鼠的新娘，就让她坐在自己的背上，带她飞到温暖的地方去。

燕子让拇指姑娘坐稳，带着她飞向空中。他们飞过高山，飞过森林，飞过大海，终于飞到一个温暖的国度，在一池清澈的湖水旁停下来。

这里有一座漂亮的大理石宫殿，在大理石圆柱的顶端有燕子的家。

燕子让拇指姑娘住在宫殿旁边一朵最美丽的白

色鲜花里，他带着小姑娘飞下来，忽然发现那朵鲜花
中间坐着一个很小的漂亮的男子，他还戴着一顶金
色的王冠。

原来，这里每朵花中间都有一个安琪儿，而他
就是这里的国王。漂亮的国王看到美丽动人的拇
指姑娘，连忙把金王冠戴
在她的头上，并向她
求婚。拇指姑娘同
意了。安琪儿纷纷
来祝贺。国王为拇
指姑娘取了一个好
听的名字：玛娅。

燕子心里非常
难过，因为他也喜
爱拇指姑娘啊！他
默默飞走了，飞到很远很
远的丹麦，向作者讲述了这个美丽的故事。

měi

美

"美"是什么？怎样才是真正的"美"？不同的人

yǒu bù tóng de lǐ jiě
有不同的理解。

yī wèi diāo sù jiā yào bǎ ní bā biàn chéng yì shù pǐn tǐ xiàn měi de
一位雕塑家要把泥巴变成艺术品，体现美的

wěi dà tā tīng shuō zài yī gè xiāng cūn li yǒu jiě mèi
伟大。他听说在一个乡村里有姐妹

liǎ zhǎng de xiàng méi guī huā yī yàng de měi lì jiù qù
俩长得像玫瑰花一样的美丽，就去

bài fǎng tā men
拜访她们。

jiě mèi liǎ de fù
姐妹俩的父

qīn shì wèi shàn liáng de shǒu
亲是位善良的守

lín rén zài fù mǔ de
林人。在父母的

guān ài xià tā men shēng
关爱下，她们生

huó de fēi cháng xìng fú
活得非常幸福。

diāo sù jiā yī jiàn
雕塑家一见

dào jiě mèi liǎ jiù lì
到姐妹俩，就立

kè bèi tā men
刻被她们

的美丽陶醉了，简直分不出谁更美一点。可是雕塑家没有带雕塑用具，只好和她们约好下次再来的时间，返回城里去了。

一天，姐妹俩的父亲去巡视山林，很晚也没有回来。发生了什么事情？娘儿仨很着急，决定出去寻找。

姐姐让妈妈带妹妹去找，自己留在家里看家。妈妈和妹妹走了非常非常远的路，也没有找到。夜已经很深了，两人才回到家里。

原来爸爸已经回来了，姐姐早就睡着了，妹妹也去睡觉了。爸爸告诉妈妈自己掉在一个深深的坑里，是一个好心的过路人用绳子把自己救上来的。只是他要求娶一个女儿做妻子，并保证让女儿生活幸福。父母认真地商量后，决定把大女儿嫁给他，因为妹妹还小，姐

姐的年龄正合适。

第二天，姐姐知道了这件事，坚决不答应嫁给那个人，父母怎么劝说也不管用。求婚的人就要来了，妹妹不愿意让爸妈为难，就决定代替姐姐去订婚。妈妈说："姐妹俩都去吧，也许他会改变主意的。"

在树林里，她们看到一个穿着破烂衣服的穷苦青年。姐姐愤愤地想：一个穷叫花子，也配做我的丈夫？

她连声招呼也没打，转身就走了。妹妹走上前去介绍了自己和姐姐的情况，表示自己愿做他的妻子，只是恳求他再等两年，因为自己还不到结婚的年龄。年轻人同意了。

不久，姐姐选择了一个有钱人出嫁了，第二天，许许多多的外地人来到村里，他们选了一块合适的地址建造起高大的宫殿，然后把它装饰得十分豪华。

人们纷纷议论国王要来这里居住。这是真的！一位年轻的国王来到这里，要在这里挑选皇后，然后举行盛大的婚礼。而那个年轻的国王正是父亲的救命恩人！妹妹就做了国王的新娘。

婚礼上，雕塑家送来一件完美艺术品做礼物，这是一座新娘的全身雕像，他说："姐妹的外表虽然一样，但妹妹有一个完美的灵魂，她才是真正的美。妹妹的外表与心灵都是最美的，所以我才能雕塑出真正完美的艺术品。"

shǒupěngkōng huā pén de hái zi
手捧空花盆的孩子

很久以前，有一个美丽的王国，这里鲜花常开，人们过着幸福的生活。他们的君主是个年迈的国王，聪明而又贤良，很受人们的爱戴。

但遗憾的是，他没有一个孩子。让谁来继承王位呢？这件事使他伤透了脑筋。有一天，国王终于想出了个好办法。他召来了宫中所有的大臣，兴奋地对他们说："我要在全国挑选一个诚实的孩子做我的义子。"

他吩咐大臣们发给每个孩子一些鲜花种子，并宣布："如果谁能用这些种子培育出美丽的花朵，那孩子就是我的继承人。"所有的孩子都种下了那些花种子，他们从早到晚浇水、施肥，护理得非常精心。

有个名叫雄日的男孩，他也整天用心培育花种。但是半个月过去了，一个月过去了，花盆里的种子依然如故，不见发芽。"真奇怪！"雄日有些纳闷，去问他的母亲："妈妈，为什么我种的花不出芽呢？"

妈妈同样为此事操心，她说："你把盆里的土重新换一换，看行不行。"

雄日依照妈妈的意思，在新土壤里播下那些种子，但是它们仍不发芽。国王决定观花的日子到了，全国的孩子都穿上漂亮的衣服，手捧盛开的鲜花的花盆涌上街头。

每个人都喜滋滋的，谁都想让继承王位的桂冠落在自己头上。但是，不知为什么，当国王从一个个孩子面前走过，环视着一朵朵盛开的鲜花时，他的脸上没有一丝高兴的影子。

忽然，在一个店铺旁，国王看见正在流泪的雄日。国王把他叫到跟前问道："孩子，你为什么端着空花盆呢？"

雄日伤心地抽咽着，他把他如何种花，但花种子又长期不发芽的经过一五一十地告诉给国王，并说，这可能是报应，因为他曾经在别人的果园里偷摘过一个苹果。国王听了雄日的回答，高兴地大声宣布说："这就是我最诚实的儿子！"

"为什么您选择了一个端空花盆的孩子做接班人呢？"人们禁不住好奇地问。国王说："子民们，我发给你们的都是煮熟了的种子。"听了国王的这句话，那些手捧着最美丽的花朵的孩子们个个面红耳赤，因为他们播下的是另外的花种子。

cǎi zhe miàn bāo zǒu de nǚ hái
踩着面包走的女孩

cóng qián yǒu yī gè piào liang de nǚ hái zi   tā de míng zi jiào yīng gé ér
从前有一个漂亮的女孩子，她的名字叫英格儿。

tā shì yī gè qióng rén de hái zi   dàn shì tā fēi cháng rèn xìng   fēi cháng jiāo ào
她是一个穷人的孩子，但是她非常任性、非常骄傲。

tā xǐ huan zuò yī xiē hěn tǎo yàn
她喜欢做一些很讨厌

de yóu xì   tā zhuō zhù yī zhī
的游戏：她捉住一只

hú dié yǐ hòu   jiù jiǎn diào tā
蝴蝶以后，就剪掉它

de liǎng zhī chì bǎng   ràng tā xiàng yī gè
的两只翅膀，让它像一个

xiǎo chóng zi nà yàng pá xíng   tā de mā
小虫子那样爬行。她的妈

ma cháng cháng quàn tā bù yào tài rèn
妈常常劝她不要太任

xìng le   tā yī diǎn
性了。她一点

yě tīng bù jìn qù
也听不进去。

hòu lái tā dào
后来她到

lìng yī gè cūn zi de
另一个村子的

yǒu qián rén jiā li qù gàn huó   zhè jiā rén duì tā hěn bù cuò   bǎ tā dǎ ban
有钱人家里去干活。这家人对她很不错，把她打扮

de yě xiàng zì jǐ de hái zi yī yàng měi lì piào liang   zhè yàng   yīng gé ér jiù
得也像自己的孩子一样美丽漂亮。这样，英格儿就

gèng jiā jué de zì gě ér liǎo bù qǐ　yuè lái yuè hú nào le　guò le yī
更加觉得自个儿了不起，越来越胡闹了。过了一

nián　nǚ zhǔ rén duì tā shuō　yīng gé ér　nǐ yīng gāi
年，女主人对她说："英格儿，你应该

huí qù kàn kan nǐ de fù mǔ le　wǒ
回去看看你的父母了。我

gěi nǐ yī tiáo chángmiàn bāo　nǐ bǎ tā
给你一条长面包，你把它

sòng gěi nǐ de fù mǔ　tā men yī
送给你的父母，他们一

dìng hěn xiǎng niàn nǐ
定很想念你。"

yīng gé ér tóng yì le
英格儿同意了。

tā chuānshàng zuì hǎo de yī fu
她穿上最好的衣服，

chuānshàng zuì piào liang de yī shuāng xīn
穿上最漂亮的一双新

xié　dāng tā lái dào yī kuài zhǎo
鞋。当她来到一块沼

zé dì de shí hou　yào jīng guò ní bā kēng hé hēi shuǐ wō　zhè yàng huì nòng zāng
泽地的时候，要经过泥巴坑和黑水窝，这样会弄脏

tā de yī fu hé xīn xié de　yú shì　tā
她的衣服和新鞋的。于是，她

gān cuì bǎ nà kuài chángmiàn bāo rēng dào ní bā dì
干脆把那块长面包扔到泥巴地

shàng　zhǔn bèi cǎi zhe miàn bāo zǒu guò qù　dàn shì　dāng
上，准备踩着面包走过去。但是，当

tā de yī zhǐ jiǎo gānggāng cǎi zài nà tiáo chángmiàn bāo shàng
她的一只脚刚刚踩在那条长面包上，

miàn bāo hé tā què yī qí dōu chén xià qù le　yī zhǐ yān
面包和她却一齐都沉下去了，一直淹

mò le tā de tóu dǐng　yīng gé ér chén dào nǎ li qù le ne
没了她的头顶。英格儿沉到哪里去了呢？

yuán lái　tā chén dào zhǎo zé dì áo jiǔ de nǚ rén nà ér
原来，她沉到沼泽地熬酒的女人那儿

qù le　nà gè nǚ rén shì gè lǎo mó guǐ
去了。那个女人是个老魔鬼。

英格儿沉到了沼泽女人的酒厂里。

这里有许多癞蛤蟆和毒蛇,英格儿恰恰落在了它们的中间。这一大堆冰冷肮脏的东西包围着英格儿,把她吓得浑身发抖,她紧紧地踩着面包,可是那条长面包拉着她继续往下沉。

英格儿一直沉到地狱里,变成了一块石头。英格儿的身体变成了石像,她的心还活着,她的头脑还能想事情,当她感到饥饿的时候,她想把脚下的那条长面包弄一块来吃。但是她现在是一块石像,她的背就是一块硬石板,她想吃面包是根本不可能的。最后她的肚子饿得实在受不了了,她的内脏开始互相吃起来,最后,她的内部器官一个也没有了,身体内完全空了。

这时,她听到了母亲的哭泣声。接着,她又听到了那个女主人在说:"英格儿太不像话了,她不该

bǎ miàn bāo cǎi zài jiǎo xià tā shì yào shòu dào chéng fá de rén men bǎ yīng gé
把面包踩在脚下，她是要受到惩罚的！"人们把英格

ér de gù shi jiǎng gěi xiǎo hái zi men tīng jiào yù tā men yào xī qǔ yīng gé ér
儿的故事讲给小孩子们听，教育他们要吸取英格儿

de jiào xun ài xī liáng shi qiān wàn bù néng rèn xìng hú nào
的教训，爱惜粮食，千万不能任性胡闹。

yì tiān dāng yǒu rén bǎ yīng gé ér de gù shi jiǎng gěi yí gè xiǎo nán hái
一天，当有人把英格儿的故事讲给一个小男孩

zi tīng shí xiǎo nán hái wèn rú guǒ yīng gé ér míng bai le zì jǐ de cuò wù
子听时，小男孩问："如果英格儿明白了自己的错误，

bìng qiě yǒng yuǎn bù huì zài xiàng cóng qián nà yàng rèn xìng de huà tā huì dé jiù ma
并且永远不会再像从前那样任性的话，她会得救吗？"

rén men shuō tā bù huì míng bai de yīn cǐ tā bù yuàn yì gǎi zhèng zì jǐ de
人们说："她不会明白的，因此她不愿意改正自己的

cuò wù zhè xiē huà yīng gé ér dōu tīng de qīng qīng chǔ chǔ tā zài xīn li
错误。"这些话，英格儿都听得清清楚楚。她在心里

shuō bù wǒ xiàn zài zhī dào shì wǒ cuò le wǒ bù gāi bǎ miàn bāo cǎi zài
说："不！我现在知道是我错了，我不该把面包踩在

jiǎo xià wǒ yuàn yì gǎi zhèng cuò wù qǐng qiú dé dào rén men de yuán liàng
脚下。我愿意改正错误，请求得到人们的原谅。"

dāng yīng gé ér rèn shi dào zì jǐ guò
当英格儿认识到自己过

shī de shí hou yí xiàn guāng míng mǎ shàng shè
失的时候，一线光明马上射

jìn le hēi àn de dì yù li tā zhào zài
进了黑暗的地狱里。它照在

yīng gé ér de shēn shàng yīng gé ér jiāng yìng
英格儿的身上，英格儿僵硬

de shēn tǐ biàn chéng le yí zhèn yān wù yān
的身体变成了一阵烟雾。烟

wù guò hòu yì zhī xiǎo niǎo fēi chū le dì
雾过后，一只小鸟飞出了地

yù zhè zhī xiǎo niǎo jiù shì yīng
狱，这只小鸟就是英

gé ér tā chóng xīn huí dào le
格儿，她重新回到了

guāng míng wēn nuǎn de shì jiè li
光明温暖的世界里。

聪明的兄妹

亨舍尔和格莱特是小兄妹，亨舍尔是小哥哥，格莱特是小妹妹，他们的母亲死了，父亲是一个樵夫，为他们找了一个继母，他家生活很穷。

有一天夜里，他们听见父亲和继母说："我们这么穷，可怎么养活这两个孩子呢？"

继母说："明天早晨，我们把他俩带到森林里，给他们生一堆火，给每人一块小面包，把他们留在那儿。"父亲说："我怎么忍心把孩子丢在森林里，野兽会吃掉他们的。"继母说："不这样做，我们四个都得饿死！"格莱特听了哭了起来，亨舍尔说："别伤心，我来想办法。"

亨舍尔听见两个大人睡着了，就悄悄地打开门走出去，把房前地上的小白石子装满衣袋，然后回来和妹妹一起睡着了。

早晨，继母过来唤醒了他们，说父亲要去森林砍柴，带他们一起去，又给他们一小块面包做中饭，格莱特拿着面包，亨舍尔装着石头，和父亲一起走了。

亨舍尔偷偷地把白石头子不断地丢在路上，他们走到森林中间。父亲给他俩生了一堆火，让他俩在火旁等着，砍完柴再来接他们。大人去砍柴了，他俩坐在火旁，中午吃了面包，一直坐到晚上，没人来接。

天黑了，格莱特害怕地哭起来，亨舍尔说："不要哭，月亮出来就回家。"

yuè liàngshēng qǐ lái le   tā lā zhe mèi mei de shǒu   shùn zhe
月亮升起来了，他拉着妹妹的手，顺着

xiǎo bái shí tou zǐ de lù zǒu le yī yè   zhōng yú dào jiā le   fù
小白石头子的路走了一夜，终于到家了，父

qīn kàn le hěn huān xǐ   jì mǔ shuō   nǐ men zhēn tān wán   wǒ
亲看了很欢喜，继母说："你们真贪玩，我

yǐ wéi nǐ men bù xiǎng huí lái le
以为你们不想回来了。"

guò le bù jiǔ de yī tiān yè li   tā
过了不久的一天夜里，他

liǎ yòu tīng jiàn jì mǔ wèn fù qīn shuō   wǒ
俩又听见继母问父亲说："我

men quán jiā rén zhǐ yǒu bàn gè miàn bāo le   zhè huí bǎ
们全家人只有半个面包了，这回把

tā liǎ fàng dào gèng yuǎn de sēn lín li qù ba   zài
他俩放到更远的森林里去吧。"在

dà rén shuì zháo shí   hēng shè ěr qǐ lái yòu yào
大人睡着时，亨舍尔起来又要

chū qù jiǎn shí zǐ   kě shì mén
出去拣石子，可是门

suǒ shàng le chū bù qù   tā ān wèi mèi mei shuō huì xiǎng chū bàn fǎ de
锁上了出不去，他安慰妹妹说会想出办法的。

zǎo chen   jì mǔ hǎn xǐng le tā liǎ   shuō fù qīn qù kǎn
早晨，继母喊醒了他俩，说父亲去砍

chái   dài tā liǎ yī qǐ qù   hái gěi le tā men měi rén yī xiǎo kuài
柴，带他俩一起去，还给了他们每人一小块

miàn bāo   hēng shè ěr bǎ miàn bāo zài kǒu dai li niē suì   tōu tōu de
面包。亨舍尔把面包在口袋里捏碎，偷偷地

bǎ miàn bāo zhā yī diǎn yī diǎn diū zài lù shang   tā men zǒu dào gèng yuǎn
把面包渣一点一点丢在路上。他们走到更远

de sēn lín li qù
的森林里去。

fù qīn diǎnshàng yī duī huǒ   ràng tā zài huǒ
父亲点上一堆火，让他在火

duī pángděng zhōng wǔ   gé lái tè bǎ zì jǐ de miàn
堆旁等，中午，格莱特把自己的面

bāo fēn gěi hēng shè ěr chī   tā liǎ yòu
包分给亨舍尔吃，他俩又

坐到了晚上，没有人来接。天黑了，亨舍尔领着妹妹想往回走，可是怎么也找不到那些撒下去的面包渣，因为被飞来的鸟吃了，他俩只好在森林里睡了一夜。

以后他俩在森林里走了三天，还是走不出来，如果再没有人来救，他们只有饿死了。

这天中午，有一只雪白的小鸟在他们前面飞，他们跟着它来到一座房子跟前，小鸟落在房顶上，他们走到跟前一看，呀！房子是面包做的，屋顶是用饼干盖的，窗户是用透明的冰糖做的。亨舍尔乐得跳起来，拆了一点屋顶放到嘴里，格莱特急忙去啃窗户，这时候屋里有人问："是谁在啃我的小房子！"他俩说："是风，天上的风！"门开了，走出来一个挂着拐棍的老太婆，他们看了非常害怕，老太婆说："别怕，可怜的孩子，进屋吧，我要给你们好吃的!"

她把他们领进屋，给他们吃牛奶、糖饼、苹果和核桃，然后让他们睡在床上。

其实这老太婆是一个恶毒的巫婆，早想把两个孩子弄来煮了吃，她故意选了面包房子把他们引诱来了。第二天早晨，她抓住了亨舍尔，关到了一个小马房里，再叫醒格莱特说:"起来，快去挑水做饭，把你哥哥喂肥了我好吃他!"格莱特一边口头答应着一边去挑水，做饭，老巫婆给亨舍尔吃好的，只给格莱特吃螃蟹壳。

每天早晨，巫婆到小马房前让亨舍尔把手指伸出来，摸摸够不够肥，亨舍尔伸出一个小骨头，巫婆一摸挺瘦不满意。

过了四个星期，她再摸，

还是那么瘦，她不想再等了，就叫格莱特多挑些水，决定第二天煮亨舍尔，格莱特哭着哀求，巫婆不答应。第二天早晨，老巫婆让格莱特生上火，坐上锅，放好了水，又叫她烤面包，火焰正旺时，巫婆让格莱特走进炉里去看炉子热不热，格莱特猜出了她的坏心肠，就说："我不会呀！你做样子我学。"巫婆说："笨家伙，就这样！"说着她把头伸到面包炉里，格莱特用力一把将老巫婆推到炉子里去了，然后关上铁门，把老巫婆烧死了。

格莱特跑去打开小马房，亨舍尔跳了出来，听说老巫婆烧死了，非常高兴。

他们到巫婆房里拿了许多珍珠宝石和食物，走出森林，回到自己家里。

这时继母已经死了，父亲见到他们回来非常高兴，他们用这些珍珠宝石和父亲一起愉快地过生活。

野天鹅

在一个很远很远的地方住着一位国王，他有十一个儿子和一个叫艾丽莎的女儿。本来，他们生活得非常幸福，可是孩子们的母亲因病去世了，国王娶了一个十分恶毒的女人做王后，孩子们的不幸就开始了。艾丽莎被送到乡下一个农民家里，十一个儿子变成了十一只野天鹅飞向远方的森林里去了。

艾丽莎长到十五岁，被接回王宫。艾丽莎长得那么美丽，王后十分嫉妒，就用魔法把艾丽莎变得又黑又丑，连父王都认不出她了。她只好偷偷走出宫殿，去寻找哥哥们。

àì lì shā zǒu jìn dà sēn lín mí lù le kě shì tā bù pà yīn wèi
艾丽莎走进大森林，迷路了，可是她不怕，因为

tā xià jué xīn yí dìng yào zhǎo dào gē ge men tā zǒu ya zǒu ya lèi jí le
她下决心一定要找到哥哥们。她走呀走呀，累极了，

jiù zài yì chí hú shuǐ páng xiū xi tā yòng
就在一池湖水旁休息。她用

qīng qīng de hú shuǐ xǐ qù le pí fū shang de
清清的湖水洗去了皮肤上的

zāng jì tā yòu biàn de pí fū xuě bái róng
脏迹，她又变得皮肤雪白，容

mào měi lì le tā jì xù xiàng sēn lín shēn chù zǒu
貌美丽了。她继续向森林深处走

qù è le jiù chī yě guǒ kě le jiù hē quán shuǐ
去，饿了就吃野果，渴了就喝泉水。

yǒu yì tiān tā pèng jiàn yí wèi cí xiáng de lǎo
有一天，她碰见一位慈祥的老

nǎi nai lǎo nǎi nai gào su tā zuó tiān yǒu shí yī zhī
奶奶，老奶奶告诉她，昨天有十一只

tiān é cóng fù jìn de hé li yóu guò qù le ài
天鹅从附近的河里游过去了，艾

lì shā hěn gāo xìng lián máng xiè guò lǎo nǎi nai jiù
丽莎很高兴，连忙谢过老奶奶就

wǎng qián zǒu le tā yán zhe hé àn yì
往前走了。她沿着河岸一

zhí lái dào dà hǎi biān
直来到大海边。

hǎi shuǐ yí wàng wú jì bì bō dàng yàng ài lì shā mò mò de zhàn zài
海水一望无际，碧波荡漾。艾丽莎默默地站在

hǎi àn shang xiàng dà hǎi yuǎn chù tiào wàng tā zhàn le hěn jiǔ yí dòng bú dòng
海岸上，向大海远处眺望。她站了很久，一动不动。

hū rán tā hǎo xiàng tīng dào hǎi shuǐ zài qiāo qiāo de gào su zì jǐ nǐ de
忽然，她好像听到海水在悄悄地告诉自己：你的

gē ge men mǎ shàng jiù yào lái le shì ma ài lì shā gèng jiā rèn zhēn de kàn zhe
哥哥们马上就要来了。是吗？艾丽莎更加认真地看着

hǎi miàn tài yáng kuài yào xià shān le ài lì shā hū rán kàn dào shí yī zhī dài
海面。太阳快要下山了。艾丽莎忽然看到十一只戴

zhe jīn guān de bái tiān é cóng dà hǎi yuǎn chù fēi guò lái le tā men yì zhī jiē yì
着金冠的白天鹅从大海远处飞过来了，它们一只接一

只飞到自己身后的山坡上。艾丽莎连忙向山坡奔跑过去。天越来越黑了，她看到十一只天鹅的羽毛完全脱落，十一位英俊的哥哥站在她的面前。他们拥抱在一起，激动得流下眼泪。

哥哥们告诉她，恶毒的王后施了魔法，十一位兄弟白天要不停地飞，飞过大海，只能在夜里变成人形。

天亮以后，哥哥们又要飞走了。他们舍不得丢下小妹妹，就用芦苇连夜编成一张大网。太阳升起来了，小妹还睡在网里，十一只天鹅就用嘴衔着网向前飞。他们飞在大海上空，一个哥哥用翅膀为妹妹遮住烈日。飞呀飞呀，当太阳落山的时候，他们终于飞到大海中间的一块

jiāo shí shàng luò jiǎo
礁石上落脚。

tiān liàng le　　gē ge men dài zhe mèi mei jì xù xiàng qián fēi　fēi guò hǎi
天亮了，哥哥们带着妹妹继续向前飞。飞过海

yáng　fēi guò gāo shān　dāng tài yáng luò shān de shí hou　tā men wěn wěn de luò dào
洋，飞过高山，当太阳落山的时候，他们稳稳地落到

yī gè dà shān dòng de qián miàn　gē ge men ràng xiǎo mèi shuì zài shān dòng li zuì shū
一个大山洞的前面。哥哥们让小妹睡在山洞里最舒

fú de jiǎo luò　bìng zhù yuàn tā zuò gè hǎo mèng　ài lì shā xìng fú de shuì zháo le
服的角落，并祝愿她做个好梦。艾丽莎幸福地睡着了。

shuì mèng zhōng　yī wèi xiān nǚ zhǐ diǎn ài lì shā
睡梦中，一位仙女指点艾丽莎

yòng jiào táng mù dì li de qián má biān zhī shí yī jiàn pī
用教堂墓地里的荨麻编织十一件披

jiǎ　měi zhī tiān é pī yī jiàn　zhè yàng jiù kě yǐ jiě
甲，每只天鹅披一件，这样就可以解

chú xié è de mó lì　shí yī gè gē ge jiù kě yǐ yǒng
除邪恶的魔力，十一个哥哥就可以永

yuǎn biàn chéng rén xíng　wéi yī de tiáo jiàn shì ài lì shā yī
远变成人形。惟一的条件是艾丽莎一

dìng yào bǎo chí chén mò　yī jù huà yě bù xǔ shuō fǒu zé
定要保持沉默，一句话也不许说，否则

duǎn jiàn jiù huì bǎ gē ge men cì sǐ
短剑就会把哥哥们刺死。

mèng xǐng le　tiān yě liàng le　　ài lì shā
梦醒了，天也亮了，艾丽莎

jiù qù cǎi jí qián má kāi shǐ biān zhī　tā nà xì
就去采集荨麻开始编织。她那细

nèn de shǒu shang qǐ le xǔ duō hěn dà
嫩的手上起了许多很大

de shuǐ pào　kě tā réng bù tíng de
的水泡，可她仍不停地

gōng zuò　　gē ge men biàn chéng tiān
工作。哥哥们变成天

é fēi zǒu le　wǎn shang huí lái kàn dào mèi mei bù zài shuō huà　yòu shāng xīn yòu
鹅飞走了，晚上回来看到妹妹不再说话，又伤心又

zháo jí de liú xià le yǎn lèi　ài lì shā zhǐ néng yòng mù guāng ān wèi gē ge
着急地流下了眼泪。艾丽莎只能用目光安慰哥哥，

shuāng shǒu réng rán bù tíng de biān zhī   zhī wán le dì yī jiàn   ài lì shā
双手仍然不停地编织。织完了第一件，艾丽莎

yī kè yě méi yǒu xiū xi   jiù gǎn kuài biān zhī dì èr jiàn
一刻也没有休息，就赶快编织第二件。

yī tiān   tā zhèng zài biān zhī shí   yī wèi
一天，她正在编织时，一位

dǎ liè de guó wáng jīng guò zhè li   fā xiàn le
打猎的国王经过这里，发现了

tā   jiù bǎ tā dài huí huánggōng
她，就把她带回皇宫。

jìn guǎn tā bù shuō yī jù
尽管她不说一句

huà   guó wáng hái shì fēi cháng xǐ
话，国王还是非常喜

huan tā   jiù xiàngquán guó xuān bù   yào qǔ
欢她，就向全国宣布，要娶

tā zuò wáng hòu   ài lì shā chuānshàng le
她做王后。艾丽莎穿上了

zuì huá lì de fú zhuāng guāng cǎi zhào rén   piào liang jí le   dàn shì ài lì shā réng
最华丽的服装，光彩照人，漂亮极了！但是艾丽莎仍

rán méi yǒu xiào róng   dāng tā kàn dào zì jǐ wò shì li nà xiē qián má hé zhī hǎo
然没有笑容。当她看到自己卧室里那些荨麻和织好

de pī jiǎ shí   liǎn shang cái yǒu le wēi
的披甲时，脸上才有了微

xiào   tā gù bù de huàn xià fú zhuāng
笑。她顾不得换下服装，

jiù yòu kāi shǐ biān zhī
就又开始编织。

zhǔ jiào qiāo qiāo gào su guó wáng ài
主教悄悄告诉国王艾

lì shā shì nǚ wū   dàn guó wáng bìng bù
丽莎是女巫，但国王并不

qīng xìn tā de huà   hūn lǐ réng rú qī
轻信他的话，婚礼仍如期

jǔ xíng le   shēn yè   ài lì shā qiāo
举行了。深夜，艾丽莎悄

qiāo de cóng guó wáng shēn biān zǒu
悄地从国王身边走

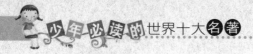
开，继续去编织披甲。

当她织完第七件披甲的时候，荨麻用完了。艾丽莎悄悄地溜出皇宫，来到教堂的墓地采集荨麻。

暗中跟踪她的大主教把这一切告诉了国王，并说艾丽莎是吸血鬼。艾丽莎无法辩解，只是加快了编织的动作。当她再次去教堂墓地采集荨麻时，被国王发现了。国王决定让众人来审判她。人们脱去她漂亮的衣服，把她放到地窖里。

艾丽莎含着眼泪，仍然一句话也不说，只是编呀，编呀！她听到地窖外面天鹅拍动翅膀的声音，这是哥哥找她来了，可是最后一件披甲还没有编织完。

天亮了，人们把艾丽莎拖到囚车里，准备处死她。艾丽莎坐在囚车里，还在赶织最后一件披甲。

忽然，十一只美丽的天鹅飞下来，落在囚车上，把艾丽莎保护在中间。刽子手走过来，要抓艾丽莎，艾丽莎连忙把十一件披甲向十一只天鹅扔去，十一位英俊的王子出现了！可是有一位王子的胳臂有一只仍是天鹅的翅膀，因为还有一只袖子没完全编好呢！

艾丽莎流着眼泪大声喊："我是无罪的！"最年长的大哥为妹妹做证明，并向众人讲了事情的经过。大家欢呼起来，被艾丽莎的精神感动不已。

准备烧死艾丽莎的柴堆不见了，每一根木头都变成了一株鲜艳的玫瑰，玫瑰花香气扑鼻。

国王摘下最大的一朵献给了艾丽莎，教堂的钟声悦耳又动听，鸟儿也成群结队地飞来向艾丽莎表示祝贺。

坚定的锡兵

jiān dìng de xī bīng

从前，有一个小孩子，在他生日的那天，他得到了一份特别的礼物：二十五个用锡做的兵士。小孩子打开匣盖，将他们一个一个地摆在小桌子上，这些锡兵就挺神气地昂着头，端着德国造的毛瑟枪，眼睛眨也不眨直直地看着前方。他们的身上穿着一半红、一半蓝的制服，显得很美丽。所有的

xī bīng dōu zhǎng de yī mú yī yàng   qí zhōng yǒu yī gè xī bīng zhǐ yǒu yī tiáo
锡兵都长得一模一样，其中有一个锡兵只有一条

tuǐ   dàn shì tā de yī tiáo tuǐ hé liǎng tiáo tuǐ de shì bīng bìng méi yǒu shén me
腿。但是他的一条腿和两条腿的士兵并没有什么

liǎng yàng ér   hòu lái   zhè ge yī tiáo tuǐ de
两样儿。后来，这个一条腿的

xī bīng gàn chū le bù píng cháng de shì qing
锡兵干出了不平常的事情。

xī bīng men zhàn zài zhuō zi shàng   fā xiàn
锡兵们站在桌子上，发现

le yī gè měi lì de gōng diàn   gōng diàn shì yòng
了一个美丽的宫殿。宫殿是用

jīn huáng sè de zhǐ zuò chéng de   lí gōng
金黄色的纸做成的，离宫

diàn bù yuǎn chù yǒu yī gè xiǎo hú pō
殿不远处有一个小湖泊，

hú pō shàng miàn hái yóu dòng zhe jǐ zhī
湖泊上面还游动着几只

bái sè de tiān é   dàn shì zuì rě rén
白色的天鹅，但是最惹人

zhù yì de shì yī wèi měi lì de xiǎo
注意的是一位美丽的小

jiě   tā shì yī wèi wǔ dǎo jiā   tā de
姐，她是一位舞蹈家，她的

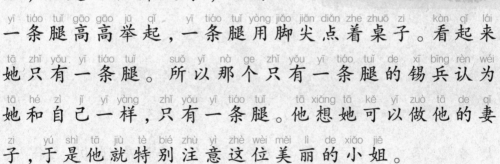

yī tiáo tuǐ gāo gāo jǔ qǐ   yī tiáo tuǐ yòng jiǎo jiān diǎn zhe zhuō zi   kàn qǐ lái
一条腿高高举起，一条腿用脚尖点着桌子。看起来

tā zhǐ yǒu yī tiáo tuǐ   suǒ yǐ nà ge zhǐ yǒu yī tiáo tuǐ de xī bīng rèn wéi
她只有一条腿。所以那个只有一条腿的锡兵认为

tā hé zì jǐ yī yàng   zhǐ yǒu yī tiáo tuǐ   tā xiǎng tā kě yǐ zuò tā de qī
她和自己一样，只有一条腿。他想她可以做他的妻

zi   yú shì tā jiù tè bié zhù yì zhè wèi měi lì de xiǎo jiě
子，于是他就特别注意这位美丽的小姐。

yǒu gè hēi yāo jing bù xǐ huan yī tiáo tuǐ de shì bīng   yīn wèi tā tài
有个黑妖精不喜欢一条腿的士兵。因为他太

xiàng gè shì bīng le   zhè yàng yī lái   hēi yāo jing jiù wú fǎ dǎo luàn la   suǒ
像个士兵了，这样一来，黑妖精就无法捣乱啦。所

yǐ   hēi yāo jing yào xiǎng fǎ ér zhì zhì yī tiáo tuǐ de shì bīng
以，黑妖精要想法儿治治一条腿的士兵。

第二天早晨，小孩把二十五个锡兵都排在窗台上。一阵冷风吹进来，一条腿的锡兵从三楼一下栽倒在地上去了。这可能就是那个黑妖精搞的鬼。

一会儿，下起雨来了。有两个小孩路过这里，发现了锡兵。他们决定让锡兵坐在船里去航行。

两个小孩折叠了一个纸船，将锡兵放进船里，于是船儿载着锡兵在水里航行起来。

雨越下越大，两个小孩去躲雨。锡兵坐在船里，端着毛瑟枪，眼睛直直朝前看。水里的波浪越来越大，最后波浪把小船推到了一条大沟里。这里的水涡多么大多么急啊，锡兵的头昏沉沉的。可是他仍立得很稳当，眼睛朝前看。

可是水流得越来越快，锡兵先被卷进一个黑乎乎的地下水道里，还有一个大耗子追着他，问他要

"买路钱"。不过，锡兵还是挺过来了，他勇敢地坐着船儿冲出了地下水道。最后他和船儿流进了一条宽大的运河。这里的水波就更大了，水已经淹到了锡兵的头上。这时，他想起了那个美丽的舞蹈家，他永远见不到她了。

这时，一条大鱼游了过来，把锡兵吞进了肚子。鱼肚子里是多么黑暗啊！里面还有一股热烘烘的怪味儿，呛得他几乎喘不过气来。但是锡兵还是那样坚定，他紧紧地端着毛瑟枪，他一直牢牢地记着自己是一个坚定的锡兵。

一道闪电似的光线射进了鱼肚子，同时听到一个人大声喊道："瞧，一个锡兵！"原来，这条鱼被人捉住了，放在市场上又被人买回家，一个女仆用大刀把它的肚子给剖开了。人们都觉得这个锡兵真了不起，敢在鱼肚子里旅行。在大家称赞中，锡

bīng xiàng píngcháng nà yàng   yī diǎn yě bù jiāo ào
兵像平常那样，一点也不骄傲。

dāng rén men bǎ xī bīng fàng zài zhuō zi
当人们把锡兵放在桌子

shang de shí hou   xī bīng fā xiàn tā yòu huí
上的时候，锡兵发现他又回

dào le yuán lái de dì fang   tā yòu kàn dào
到了原来的地方，他又看到

le nà ge měi lì de wǔ dǎo jiā   xī bīng
了那个美丽的舞蹈家。锡兵

fēi cháng gǎn dòng   tā yòng yǎn jing wàng zhe wǔ
非常感动，他用眼睛望着舞

dǎo jiā   měi lì de wǔ dǎo jiā yě yòng shēn
蹈家，美丽的舞蹈家也用深

qíng de mù guāng kàn zhe tā   hǎo xiàng zài shuō
情的目光看着他，好像在说：

nǐ zhēn liǎo bù qǐ
"你真了不起！"

zhè shí   bù zhī nà ge hēi yāo jing
这时，不知那个黑妖精

zěn me gǎo de guǐ   yī gè xiǎo hái hū rán
怎么搞的鬼，一个小孩忽然

zǒu guò lái   bǎ xī bīng rēng jìn huǒ lú li qù le   xī bīng gǎn dào zì jǐ zhèng
走过来，把锡兵扔进火炉里去了。锡兵感到自己正

zài màn màn de róng huà   jiù zài zhè shí
在慢慢地熔化。就在这时，

tā réng rán jǐn jǐn káng zhe qiāng   yī dòng bù
他仍然紧紧扛着枪，一动不

dòng jiān dìng de zhàn zài nà er
动坚定地站在那儿。

kōng qì xiān nǚ zài xīn lǐ dà shēng
空气仙女在心里大声

chēng zàn zhè wèi xī bīng shuō   tā zhēn
称赞这位锡兵说：他真

liǎo bù qǐ   tā shì yī gè
了不起，他是一个

zhēn zhèng de xī bīng
真正的锡兵。

小意达的花
xiǎo yì dá de huā

小意达是一个漂亮的小姑娘。她很喜欢鲜花。

有一天她看到花瓶里的鲜花已经

枯萎了，非常伤心，就向

坐在沙发上的一个学

生问道："为什么花

儿今天显得这么没

有精神呢？"

那是个性格

活泼，又懂得很多

知识的男孩子，他告诉小意达："这些花儿昨夜参加

了舞会，所以今天很累。"小意达问："花儿也会跳

舞吗？"学生解释说："花儿可会跳舞啦！深夜，等

我们都睡觉了，他们就召开舞会，连小小的雏菊和

铃兰花都去参加。"小意达不知道舞会在哪里召开，

学生告诉他："就在皇家大宫殿里。那两朵美丽的玫瑰花一个做花王，一个做花后，两排红鸡冠花做花王的侍从。蓝色的紫罗兰就是小小的海军学生，它们称风信子和番红花为小姐，一对一对地跳。郁金香和高大的牡丹花是老太太，做舞台监督。"学生还告诉小意达："如果守夜的宫殿管理员去巡查，那些花儿就马上躲到长窗帘后面去。"

小意达非常好奇，很想去瞧瞧这些花儿。学生告诉她可以去，并教她让一朵花带口信，让花园里所有的花都参加舞会，那么当植物学教授走到花园里时，就看不到一朵花，连教授都不知道花哪里去了。学生还说："花儿会打手势，会用动作、表情来相互沟通。"一位正好来拜访小意达爸爸的枢密顾问官自言自语地嘀咕："居然把这类事儿灌进一个孩子的脑子里去。"

xiǎo yì dá duì xué shēng suǒ shuō de què shí fēn gǎn xìng qù　wǎnshang tā
小意达对学生所说的却十分感兴趣。晚上，她

xiǎngzhào gù nà xiē tiào wǔ tiào lèi le de huā ér　jiù ràng zì jǐ de wán jù
想照顾那些跳舞跳累了的花儿，就让自己的玩具

sū fēi yà bān dào chōu tì li qù shuì　ér ràng huā ér shuì zài tā de chuángshang
苏菲亚搬到抽屉里去睡，而让花儿睡在她的床上。

xiǎo yì dá tǎng zài chuángshangshuì bù zháo　mǎn nǎo zi quán shì huā ér de shì
小意达躺在床上睡不着，满脑子全是花儿的事。

tā mèng jiàn le huā ér hé nà gè xué shēng　rán hòu jiù xǐng le　bà ba mā ma
她梦见了花儿和那个学生，然后就醒了。爸爸妈妈

zǎo jiù shuì zháo le　tā jìng jìng de tǎng zhe　xiǎng zhe huā ér xiàn zài hái shuì zài
早就睡着了。她静静地躺着，想着花儿现在还睡在

sū fēi yà de chuángshang ma　hū rán　tā hǎo xiàng tīng dào wài miàn fáng jiān li yǒu
苏菲亚的床上吗？忽然，她好像听到外面房间里有

gè rén zài tán gāng qín　tán de qīng róu měi miào　tā shí zài rěn bù zhù le　jiù
个人在弹钢琴，弹得轻柔美妙。她实在忍不住了，就

qiāo qiāo de zǒu dào mén nà ér　tōu tōu de xiàng wài miàn nà ge fáng jiān zhāngwàng
悄悄地走到门那儿，偷偷地向外面那个房间张望。

yā　nà fú jǐng xiàng duō hǎo wán ya　yuè guāng
呀！那幅景象多好玩呀！月光

shè jìn chuāng zi　wū li hěn liàng　huā pén dōu kōng
射进窗子，屋里很亮，花盆都空

le　gè zhǒnghuā ér zài dì bǎnshangshuāngshuāng
了，各种花儿在地板上双双

qǐ wǔ　gāng qín pángbiān zuò zhe yī duǒ gāo dà de huáng bǎi hé
起舞，钢琴旁边坐着一朵高大的黄百合

huā　què shí tā hěn xiàng lì nī xiǎo jiě
花，确实她很像莉妮小姐！

花儿都没有注意到小意达。小姑娘看到一朵非常大的蓝色早春花跳上桌子，玩具都在那上面，她把窗帘拉开，正躺在床上生病的花马上站起来，也想参加。连那个年老的扫烟囱的玩偶也在起劲地跳呢，它以为自己也是花儿中的一员。那跟她过狂欢节的桦木条也在跳，只是有个小蜡人骑在它身上。一会儿蜡人变大了，他和那个枢密顾问官一模一样地大声说："居然把这样的怪念头灌进一个孩子的脑子里去！"可是舞会的气氛丝毫不受他的影响，他也不得不跳，等他累了，桦木条就让他休息了。

sū fēi yà yě bù shuì le   tā yě lái cān jiā wǔ huì   huā ér réng hěn
苏菲亚也不睡了，她也来参加舞会，花儿仍很

gǎn xiè tā ràng chū shuì chuáng bìng ràng tā gěi xiǎo yì dá dài huà   míng tiān wǒ men
感谢她让出睡床，并让她给小意达带话："明天我们

jiù yào sǐ le   qǐng tā bǎ wǒ men zàng zài huā yuán li   míng nián xià tiān   wǒ
就要死了，请她把我们葬在花园里。明年夏天，我

men huó guò lái   huì gèng měi lì le   sū fēi yà shāng xīn de wěn le zhè duǒ huā
们活过来，会更美丽了。"苏菲亚伤心地吻了这朵花

yī xià   hū rán kè tīng li de mén kāi le   guó wáng gōng diàn li de huā quán lái
一下。忽然客厅里的门开了，国王宫殿里的花全来

cān jiā wǔ huì le   hái dài lái le yuè duì   wǔ huì tuī xiàng gāo cháo   hǎo cháng
参加舞会了，还带来了乐队，舞会推向高潮。好长

yī duàn shí jiān   wǔ huì cái jié shù
一段时间，舞会才结束。

xiǎo yì dá yě qù shuì jiào le   mèng
小意达也去睡觉了，梦

zhōng yòu chū xiàn le gāng cái de qíng jǐng
中又出现了刚才的情景。

dì èr tiān zǎo shang   xiǎo yì dá yī xǐng
第二天早上，小意达一醒

lái   jiù qù kàn wàng shuì zài xiǎo chuáng shang
来，就去看望睡在小床上

de huā ér   tā men zhēn de quán diāo
的花儿，她们真的全凋

líng le   xiǎo yì dá àn zhào huā
零了。小意达按照花

ér de zhǔ tuō bǎ tā men fàng zài
儿的嘱托把她们放在

yī gè zhǐ hé guān cai li   jǐ
一个纸盒棺材里。几

tiān yǐ hòu xiǎo yì dá de liǎng gè
天以后小意达的两个

biǎo xiōng dì cóng nuó wēi lái zuò kè   xiǎo yì dá qǐng biǎo xiōng dì bāng máng bǎ huā ér
表兄弟从挪威来做客，小意达请表兄弟帮忙把花儿

ān zàng zài huā yuán li   tā men hái wèi huā ér jǔ xíng le zàng lǐ ne
安葬在花园里。他们还为花儿举行了葬礼呢！

bīng gū niang
冰 姑 娘

欧洲的瑞士是一个美丽的山国。那里峻峭的石壁上都长着树林。山坡上是耀眼的雪地，在冰堆的下面有许多深洞和大裂缝，它们形成了一座座奇异的水晶宫。冰姑娘就住在这里。

她是冰冷无情的人，她喜欢毁坏生命，她要拥抱谁，谁就得死。她还有几个助手，她们叫昏迷女神。这些昏迷女神设法让人昏迷过去，接着冰姑娘就来拥抱这个人，将他弄死，永远睡在冰堆下面。

这天刚刚下了一场大雪，厚厚的积雪把冰缝盖住了。一位母亲抱着才一岁的孩子，忽然脚下一滑，掉到冰缝里去了。人们把他们母子救上来的时候，母亲已经死了，只有孩子还活着，他叫洛狄。

现在他成了一个孤儿，因为他的父亲不久前也让风暴卷走了。他的外祖父把洛狄接回了家。

洛狄的外祖父是一个雕刻工匠，整天忙着干活，抽不出更多的时间来照料小洛狄。可怜的小洛狄就和屋子里的小猫、小狗、小鸡一块儿玩。

洛狄听懂的第一句话是猫教给他的。猫还认真地教小洛狄怎样掌握爬行的技巧，它说："你要用前爪探路，用眼睛看准，只要发现空隙就跳过去紧紧抓住！"

小洛狄照着猫的话每天学习爬行，结果他常常爬到屋顶，爬到树上，和猫坐在一起玩，跟猫一样舔

舐自己的小手掌。到后来，他比猫爬得还高，他能爬到连猫也爬不上去的悬崖上去。

这样，小洛狄长到五六岁时，他开始赶着一群

羊，爬到最高的山峰去放羊，清晨的露水和新鲜的空气就是他的早饭。每当小洛狄把羊赶到山顶上去的时候，冰姑娘就派昏迷女神来抓他。

可是昏迷女神根本抓不住小洛狄，冰姑娘决定自己亲自去抓小洛狄。但是太阳的女儿坚决不同意，她们是鲜花和人类的保护神。

她们对冰姑娘说："你可以抓住他，但你留不住他。他要比你更强大，他能爬得比太阳还高！"因此，冰姑娘没有抓住小洛狄。小洛狄八岁的时候，外祖父同意小洛狄跟着叔父一起回去。叔父是个

非常能干的猎人。他开始教洛狄怎样使枪，怎样瞄准和射击，并且在打猎季节里把他带上山去。

叔父带小洛狄来到山谷里，教他如何观察羚羊的跳跃，怎样才能像羚羊那样落到地上一动也不动的本领。他们一起喝羚羊血。叔父说，喝羚羊血可以让头脑清醒不会发昏。

一天，叔父又带着小洛狄上山打猎了。叔父说，羚羊很狡猾，因此一个猎人要比羚羊更狡猾才行。

中午的时候，叔父和小洛狄瞄准了深渊对面的一只母羚羊和一只小羚羊。叔父已经射击了，母羚羊跳了几下就倒在地上死了。

他们兴高采烈地回家，叔父还高兴地唱起了一支歌。这时他们听到离他们不远的地方有一个特别的声音。他们看见山坡上的积雪动起来了，发出轰轰的响声。这是雪山在崩裂，这对他们是非常危险的，叔父和洛狄跑到一棵大树前，小洛狄紧紧抱住了树干。

叔父爬上了树枝，他在上面大声喊道："洛狄，拿出你全身的力量站稳！一定要站稳！"这时一股飓风从雪山崩裂的地方突然卷过来，它把这一带的树木像折断芦苇一样打断，洛狄滚落在地上。当他再次站起来的时候，他发现叔父的头已经破碎了。小洛狄简直吓坏了。

从此，小洛狄就开始承担起全家人的生活重担。现在洛狄成了这里的头等猎手，也是这里最漂亮的射手。姑娘们都愿意和他交朋友。但是他喜欢上了磨坊主的女儿巴贝德。

磨坊主是这儿最有钱的财主。他对洛狄说："你的想法太荒唐！我的女儿是坐在一座金山上面，你能爬上去吗？"洛狄说："世界上没有什么爬不上去的东西。"磨坊主说："你只要能爬到悬崖上，抓一只活着的小鹰回来，我就把女儿嫁给你。"在峻峭的悬崖上抓小鹰，这是非常艰难的事，很容易从那上面跌下来摔死。但是洛狄答应了。

洛狄找到他的几位好朋友，请他们帮他一起去悬崖上抓小鹰。朋友们都劝他不要白白把命送掉。但是洛狄说："请你们相信我，我一定会捉到一只小鹰。"

朋友们只好听他的，决定和他一起干。

他们准备了一些长竿、绳子和梯子，爬了一整夜才到达那个阴暗的石壁。石壁下面是看不见底的深渊。

在天快要亮的时候，那只大鹰飞了出来。

这时，洛狄和他的朋友们一齐向大鹰瞄准射击。只见那只大鹰拍了几下翅膀就慢慢坠到深渊里去了。现在他们开始紧张地工作起来。梯子悬在深渊的半空，洛狄爬在梯子上，开始了他一生中最危险的工作。

洛狄爬到梯子的顶端以后，发现他只能把手放到鹰窝边上。

于是把鹰窝底下的那些密密的枝条用手摸了一下，然后抓了一根他认为牢固的枝条以后，便顺势一跃，离开了梯子。这样他的头和胸部就升到了鹰窝上面。

洛狄感到头有点发昏。冰

gū niang hǎn zhe　　　luò dí　　zhè xià wǒ kě yào zhuō zhù nǐ le
姑娘喊着："洛狄！这下我可要捉住你了！"

　　　　　bù guò　　luò dí bìng méi yǒu bèi hūn mí nǚ shén zhuō zhù　　luò dí yòng jìn
　　不过，洛狄并没有被昏迷女神捉住，洛狄用尽

lì qi kào yī zhī shǒu wěn zhù zì jǐ　yòng lìng yī zhī shǒu shēn jìn qù bǎ shéng suǒ
力气靠一只手稳住自己，用另一只手伸进去把绳索

tào zài xiǎo yīng de shēnshang　　xiàn zài tā zǒngsuàn bǎ zhè zhī xiǎo yīng huó huó de
套在小鹰的身上。现在他总算把这只小鹰活活地

gěi zhuō zhù le　　　　tā chénggōng le
给捉住了。他成功了。

　　　　mò fáng zhǔ shuō　　luò dí　nǐ zhēn shì yī gè zuì yǒng gǎn de liè shǒu
　　磨坊主说："洛狄，你真是一个最勇敢的猎手！

wǒ de nǚ ér shǔ yú nǐ le
我的女儿属于你了。"

　　　　　bù jiǔ　　tā hé bā bèi
　　不久，他和巴贝

dé jiù jié hūn le　　tā men jié
德就结婚了。他们结

hūn de xiāo xi chuándào bīng gū niang
婚的消息传到冰姑娘

nà li　bīng gū niangshuō　　wǒ
那里，冰姑娘说："我

hái huì zhuō zhù tā de　tā pǎo
还会捉住他的，他跑

bù liǎo
不了！"

　　　　luò dí shuō　　shì de
　　洛狄说："是的，

bīng gū niang hái huì lái zhǎo wǒ
冰姑娘还会来找我。

dàn shì xiàn zài wǒ bìng bù pà
但是现在我并不怕

tā　wǒ yǐ jīng pá dào le zuì
她，我已经爬到了最

gāo fēng　dé dào le xìng fú　wǒ réng rán xiāng xìn　zhǐ yào nǐ bù hài pà　nǐ
高峰，得到了幸福。我仍然相信，只要你不害怕，你

jiù bù huì diē xià qù
就不会跌下去！"

红舞鞋

hóng wǔ xié

cóng qián yǒu yī gè zhǎng de hěn piào liang de xiǎo nǚ hái míng jiào jiā lún
从前，有一个长得很漂亮的小女孩，名叫珈伦。

tā shì gè gū ér shēng huó hěn kǔ méi yǒu xié chuān zǒng shì guāng zhe jiǎo zǒu lù
她是个孤儿，生活很苦，没有鞋穿，总是光着脚走路。

cūn li yǒu yī wèi xīn dì shàn liáng de nǚ xié jiàng tā yòng kuài
村里有一位心地善良的女鞋匠，她用块

jiù hóng bù wèi xiǎo jiā lún zuò le yī shuāng xié xiǎo jiā lún chuān
旧红布为小珈伦做了一双鞋。小珈伦穿

shàng le xié xīn li hěn gāo xìng yǒu yī tiān yī liàng hěn dà
上了鞋，心里很高兴。有一天，一辆很大

de jiù mǎ chē lù guò zhè li chē li zuò zhe yī wèi lǎo nǎi nai tā kàn
的旧马车路过这里，车里坐着一位老奶奶。她看

jiàn xiǎo jiā lún hěn kě lián jiù yào fǔ yǎng tā lǎo nǎi nai gěi xiǎo jiā lún mǎi
见小珈伦很可怜就要抚养她。老奶奶给小珈伦买

le gān jìng piào liang de xīn yī fu yòu mǎi le yī shuāng nuǎn huo de xīn xié
了干净漂亮的新衣服，又买了一双暖和的新鞋，

hái jiāo tā dú shū shí zì
还教她读书、识字、

xué zuò zhēn xiàn huó
学做针线活。

yī tiān huáng hòu dài
一天，皇后带

zhe xiǎo gōng zhǔ lái dào zhè li
着小公主来到这里

yóu wán xiǎo jiā lún fā xiàn
游玩。小珈伦发现

xiǎo gōng zhǔ de hóng pí xié fēi
小公主的红皮鞋非

常漂亮,心里很美慕,她多么渴望自己也能穿上这样一双漂亮的鞋呀!老奶奶带她去鞋店,满足了她的愿望,真的买到了和小公主完全一模一样的红皮鞋。该去教堂做礼拜了,小珈伦穿着鲜艳的红皮鞋去参加圣礼。大家一起唱歌赞颂上帝,小珈伦却一句也没有唱,因为她只顾欣赏自己的漂亮皮鞋去了。回到家里,老奶奶知道了这件事,非常生气,她叮嘱小珈伦:去教堂是不能穿红鞋的。

一个礼拜天,教堂里举行圣餐会,老奶奶带着小珈伦一起去。小珈伦又穿着红鞋去了。在教堂门口,一位长着大胡子的老兵主动帮小珈伦擦

去红皮鞋上的灰尘，然后在鞋底上敲了两下说："多么漂亮的红舞鞋呀！穿着它跳舞一定非常动人。"

在教堂里，小珈伦一心只想着红皮鞋，没有心思向上帝祈祷。圣餐会结束了，老奶奶带着小珈伦走出教堂，在门口，又遇见了那位老兵，他又说："多么美丽的红舞鞋呀！"

小珈伦实在忍不住了，就试跳了一下。不料，她的双脚一跳起来就停不住了，在马车上也跳呀，跳呀，根本控制不住自己，竟然一脚踢到好心肠的老奶奶身上。后来大家帮她把红鞋脱下，她才停下来。

一到家，老奶奶就病倒了。珈伦本应该尽心尽力照顾自己的恩人，可是她却没管，而是穿上红皮鞋参加舞会去了。她不停地跳，一直跳到黑森林里，又看到那位大胡子的老兵。老兵仍旧夸她："多么美丽的红舞鞋呀！"小珈伦感到很害怕，想不跳了，可是她停不下来。她想把鞋脱下来，可鞋和肉已经长到一起了。她只好一直跳下去，从田野里跳到山冈上，又从山冈上跳回到教堂门口。她看见了天使，天使命令她不停地跳下去！她恳求天使饶恕自己，可天使没有理她。

她始终在不停地跳，她的恩人老奶奶已经去世了，她都没有停下来。大家都指责她是个忘恩负义的小人。珈伦十分后悔，她跳到刽子手家门前，恳求刽子手把自己的双脚砍掉。刽子手了解情况以后手起斧落，砍掉了小珈伦的两只脚。穿着红鞋的那双脚还在不停地跳啊跳啊，一直跳到远方的森林里去了。

刽子手为小珈伦配上了一双木脚，又送她一根拐棍。小珈伦真诚地感谢他，并表示要马上去教堂忏悔自己的罪过。这时候，天使忽然出现在她面前，她已经原谅了小珈伦的过错，珈伦心中此刻感到无比幸福。

园丁和主人

yuán dīng hé zhǔ rén

zài lí chéng jiāo bù yuǎn de dì fang yǒu yī zhuàng gǔ lǎo de fáng zi
在离城郊不远的地方，有一幢古老的房子。

zhè shì yī wèi guì zú lǎo yé
这是一位贵族老爷

de tā yōng yǒu yī kuài zhěng qí de cǎo
的，他拥有一块整齐的草

chǎng cǎo chǎng li yǒu gè zhǒng gè yàng míng
场，草场里有各种各样名

guì de huā huì hé shàng hǎo de guǒ shù zuì
贵的花卉和上好的果树。最

zhòng yào de shì zhè yī qiè dōu yóu yī wèi
重要的是，这一切都由一位

jiào lā ěr sēn de yuán dīng zhào kàn zhe
叫拉尔森的园丁照看着。

lā ěr sēn shì yī wèi qín kuài rè xīn
拉尔森是一位勤快、热心

ér jì yì yòu jīng zhàn de yuán yì jiā
而技艺又精湛的园艺家。

shuí jiàn zhè gè yuán zi dōu kuā jiǎng tā
谁见这个园子都夸奖他

gàn de hǎo bù guò zhè jiā de
干得好。不过，这家的

zhǔ rén què bìng bù zhè yàng rèn wéi
主人却并不这样认为。

yǒu yī tiān zhǔ rén bǎ yuán dīng jiào dào gēn qián duì tā shuō qián jǐ
有一天，主人把园丁叫到跟前，对他说："前几

tiān wǒ qù kàn wàng yī wèi péng you tā ná chū shuǐ guǒ lái kuǎn dài wǒ nà xiē
天我去看望一位朋友，他拿出水果来款待我，那些

梨和苹果又香又甜。快去城里打听一下，这些水果究竟是哪儿产的，想办法弄几棵树苗回来。"园丁听了主人的吩咐，马上动身进城。来到水果店一打听，老板不禁哈哈大笑地说："这些水果都是从你们的园子里买来的呀！"园丁一看，可不是么，都是自己园子里出产的水果。

他立即往回赶，把这些情况如实地告诉主人，并带回一份证明材料。从这天开始，主人便用这些水果来招待客人，并把它们送给朋友，有的还被带到国外去，成了待客上品。拉尔森决心还要在养花方面露一手。园丁把房间用鲜花布置得更加漂亮。

有一天，他拿

着一个大水晶盆到主人的房间。盆里浮着一片睡莲的叶子，叶子上还有一朵蓝色的花儿。

这时，公主恰巧来这里做客，她看到这朵花，认为它非常美丽名贵，主人立刻把它送给了公主。公主走后，老爷叫来园丁，问他这种花是从什么地方采来的。

园丁听了，禁不住暗笑说："这种花只不过是菜园里的一种很普通的菜花。"

老爷一听，不觉大惊失色，说道："天哪！你怎么不早告诉我，我还把它送给了尊贵的公主。你这不是拿我开玩笑吗？"骂完，主人立即去宫里面见公主向她道歉。公主却说："你这样做是错误的。他让我们大开眼界，我要王宫里的园丁每天送一朵到我的房间里。"

秋天到了，狂风暴雨把园子里的两棵古树吹倒了。

于是，园丁重新把花园布置一番，现在那儿漂亮极了。他在原来生长古树的地方，竖起了一根高高的旗杆，上面飘扬着丹麦国旗。并在旁边竖起挂着燕麦的杆子，好让天空的鸟儿能够吃一餐饱饭。

人们看到那面国旗和那束燕麦，纷纷称赞这房子的主人既爱国又善良。

主人听了特别高兴，他兴奋地说："这全多亏了拉尔森，我们为他感到自豪。"但是，在他们心中，他们永远是主人，可以随时随地解雇拉尔森。

跳蚤和教授

很久以前有一个气球驾驶员，他因为氢气球爆炸而被摔死了。他的儿子运气不错，在气球爆炸之前两分钟，乘坐降落伞安全到了地面，得以逃生。

这个孩子很年轻，又漂亮又聪明，也很向往做气球驾驶员，但他目前手中没有钱，就靠变魔术为生，有时还到外国去表演。在那里他自称为教授。

每次演出，他的太太都在剧场门口帮他卖票，然后又帮他客串节目，用抽屉大变活人。

可是在一次演出时，太太钻进抽屉后再也找不到了，因为她对这种工

作已经感到厌烦了。没有了太太帮助演出，教授的

工作越来越不景气，收入越来越少，最后只剩下一

只大跳蚤——这是太太留给他的惟一的纪念品。

教授十分爱它，耐心地训练

它，教它魔术，教它举枪敬

礼，教它放炮——当然这是

一尊很小的炮。跳蚤学习

很用心，又通人性，教授

为它感到骄傲。跳蚤自己

也十分自豪，因为它不但

学会了很多本领，还去

过许许多多大城市演

出，已经很有名气。跳

蚤和教授之间已经形

成一种默契：他们永远不分开，也永远不结婚。教

授带着跳蚤到处演出，最后只有野人国没有去了，

因此教授决定到野人国去演出，到那里去挣一笔钱。

野人国的统治者是一位六岁的公主，她美丽、

任性又顽皮。看了跳蚤举枪敬礼和放炮的演出后，

她立刻被跳蚤迷住了，她说："除了它以外，我什么人也不要！"她无药可救地爱上了跳蚤，舍不得放手。

爸爸劝慰她："好孩子，我们应该先把它变成一个人呀！"小公主根本听不进去，她对着手心里的跳蚤说："现在你就是一个人，和我一道来统治国家；你必须听我的话，否则我要杀掉你，吃掉你的教授。"

从此，跳蚤时刻跟公主呆在一起，不是坐在她手上，就是坐在她的脖颈上。而教授单独住在一间大房子里，吃的、穿的、用的都很舒适，教授却感到很厌烦。他希望离开野人国，但是他必须带跳蚤走。怎样才能达到目的呢？教授想啊，想啊，终于想出了一个办法。

教授对公主的父王说："请让我为你们做点事情吧！我想训练全国人民学会举枪敬礼。这叫文化。""你教我什么呢？"公主的父亲也想学点什么。"我来教你放炮吧!"教授说:"放炮虽然是艺术,可是太简单了,只须"轰"的一声就行了。"

野人国没有炮,跳蚤放的炮又太小,于是教授就请公主的父王提供做氢气球用的一切材料,说要制造大炮。野人国的人都要来看这尊大炮,教授只是默默地做准备,并不透露半点风声。跳蚤坐在公主的手上,在一旁观看教授忙碌。这时气球已经装满了气,鼓了起来,它狂暴地晃来晃去,已经不好驾驭。教授对公主的父王说:"我得把它放到空中去,让它冷却一下。"教授说完,就坐进吊在气球下面的篮子里去。

坐好以后,教授又对公主的父王说:"我单独一个人无法驾驭它,我需要助手来给我帮忙。"

他边说边向跳蚤伸手，说："你快过来呀！"

"我不同意！"公主喊，可是跳蚤很想去帮忙，公主只好把跳蚤交给教授了。教授冲下面的人喊："请放掉绳子和线吧！现在氢气球要上升了！"大家都等着他喊："发炮！"可是教授并没有喊，气球却越来越高，渐渐升到云层中，后来又顺着风向远方飘去，离野人国越来越远了。

现在，野人国的小公主和她的父亲、母亲以及所有的人还站在那里傻傻等着，他们想，只要大炮冷却了，跳蚤和教授就会回来的。

而跳蚤和教授呢？他们已经回到了自己的国家，他们终于有了一个气球，教授终于实现了做气球驾驶员的梦想。他们生活得十分幸福。

森林里的小·仙人
sēn lín li de xiǎo xiān rén

cóng qián yǒu yī gè nán rén qī zi sǐ le liú xià yī gè nǚ hái
从前，有一个男人，妻子死了，留下一个女孩，

zhǎng de hěn měi lì yòu yǒu yī gè nǚ zǐ zhàng fu sǐ le
长得很美丽；又有一个女子，丈夫死了，

tā yě yǒu gè nǚ hái zhǎng de hěn chǒu liǎng gè nǚ hái zài
她也有个女孩，长得很丑。两个女孩在

yī kuài wán ér nǚ rén gēn nà ge nán rén de nǚ ér shuō
一块玩儿，女人跟那个男人的女儿说：

nǐ huí qù gào su nǐ fù qīn wǒ yào hé tā jié hūn jié
"你回去告诉你父亲，我要和他结婚，结

hūn hòu měi tiān zǎo chen gěi nǐ hē niú nǎi gěi wǒ
婚后，每天早晨给你喝牛奶，给我

nà ge chǒu yā tou hē liáng shuǐ
那个丑丫头喝凉水。"

nǚ hái zi huí dào jiā li hòu gēn fù qīn shuō
女孩子回到家里后跟父亲说

le fù qīn yuán lái pà nǚ ér shòu qì bù xiǎng
了。父亲原来怕女儿受气，不想

zài jié hūn tīng nǚ ér shuō zhè ge nǚ
再结婚，听女儿说这个女

rén de xīn zhè me hǎo jiù tóng yì le
人的心这么好，就同意了。

tā men jié hūn hòu de dì yī
他们结婚后的第一

tiān zǎo chen nán rén de nǚ ér miàn qián fàng zhe yī bēi niú nǎi jì mǔ de nǚ ér
天早晨，男人的女儿面前放着一杯牛奶，继母的女儿

miàn qián shì yī bēi liáng shuǐ dì èr tiān zǎo chen liǎng gè nǚ hái zi miàn qián fàng de
面前是一杯凉水；第二天早晨，两个女孩子面前放的

dōu shì yī bēi liáng shuǐ　　dì sān tiān zǎo chen　　nán rén de nǚ ér miàn qián fàng
都是一杯凉水；第三天早晨，男人的女儿面前放

le yī bēi liáng shuǐ　jì mǔ de nǚ ér miàn qián fàng zhe yī bēi niú nǎi　yǐ
了一杯凉水，继母的女儿面前放着一杯牛奶，以

hòu jiù zǒng shì zhè yàng le　　jì mǔ hái xiǎng chū gè zhǒng fāng fǎ
后就总是这样了。继母还想出各种方法

nüè dài nà ge měi lì de gū niang
虐待那个美丽的姑娘。

hán dōng li de yī tiān
寒冬里的一天，

tiān qì fēi chánglěng shān gǔ shang
天气非常冷，山谷上

gài mǎn le hòu hòu de xuě　jì mǔ
盖满了厚厚的雪。继母

zuò le jiàn zhǐ yī fu ràng nán rén de
做了件纸衣服让男人的

nǚ ér chuānshàng dào sēn lín li qù shí yī lán cǎo méi　jì mǔ xiǎng bǎ tā dòng
女儿穿上，到森林里去拾一篮草莓，继母想把她冻

sǐ　è sǐ　zhǐ gěi le tā yī xiǎo kuài yìng miàn
死、饿死，只给了她一小块硬面

bāo　lín zǒu shí hái shuō　　shí bù mǎn yī
包，临走时还说："拾不满一

lán zi cǎo méi　jiù bié huí lái
篮子草莓，就别回来！"

nǚ hái chuān zhe zhǐ yī fu
女孩穿着纸衣服，

kuà zhe lán zi lái dào sēn lín li
挎着篮子来到森林里。

kàn jiàn le yī zhuàngxiǎo fáng zi　　lǐ
看见了一幢小房子，里

miàn yǒu sān gè xiǎo rén zhèng pā zhe
面有三个小人正趴着

chuāng hu xiàng wài kàn　zhè shì sān gè
窗户向外看，这是三个

xiǎo xiān rén　tā xiàng tā men wèn
小仙人。她向他们问

hǎo　tā men bǎ tā ràng dào le xiǎo
好，他们把她让到了小

屋里，让她坐在火炉旁烤火。

美丽的小姑娘拿出那块面包吃，小仙人说："你吃的东西能分给我们吗？"小姑娘马上分了一半给他们。他们问她穿得这么少到森林里做什么，她说："继母让我拾一篮草莓。"他们于是给了她一把扫帚，让她去扫后门外面的雪。

小仙人背着她议论说："这个姑娘又有礼貌又善良，我们应该向她祝福。"第一个说："我们祝她更加美丽！"

第二个说："以后她每说一句话，就从她嘴里吐出一块金子！"

第三个说："我祝她当一个王后！"女孩子用扫帚打扫门外面的雪，真奇怪！她刚一扫就有新鲜的草莓一个个从雪里跳出来。她拾了满满一篮子，谢过了小仙人，就跑回家了。

她进屋后跟爸爸说了一声晚安，马上就有一块金子从她嘴里吐了出来，她和家里人讲她经历的事，每说一句话，就有一块金子掉落下来，金子慢慢地把房间都堆满了。

继母的女儿非常羡慕她，也要到森林里拾草莓。继母怕她挨冻，不让她去，她又吵又闹。继母没办法，给她穿上了一件皮袄，带上奶油面包，让她去了。

丑女孩走到小屋子前，看见三个小仙人也不问好，就走进屋去坐到火炉边吃她的奶油面包。小仙人说："分一点给我们吧？"她说："我自己还不够吃哪！"

小仙人于是也给了她一把扫帚，让她去扫后门外的雪，她说："我又不是仆人，你们自己扫吧！"说完这话，她就出去找草莓了。

小仙人们议论说："这个丫头没礼貌，心又狠，我们也给她点愿望吧！"第一个说："我愿她更加难

kàn dì èr gè shuō wǒ yuàn tā měi shuō yī jù huà jiù tǔ chū yī zhī
看！"第二个说："我愿她每说一句话，就吐出一只

lài há ma dì sān gè shuō tā tài huài le wǒ yuàn tā bù dé hǎo sǐ
癞蛤蟆！"第三个说："她太坏了，我愿她不得好死！"

chǒu gū niang zài wài miàn méi yǒu zhǎo dào cǎo méi hòu lái kōng zhe liǎng zhī
丑姑娘在外面没有找到草莓，后来，空着两只

shǒu huí jiā le tā huí qù xiàng
手回家了。她回去向

mǔ qīn jiǎng tā de jīng guò měi shuō
母亲讲她的经过，每说

yī jù huà jiù yǒu yī zhī lài há
一句话，就有一只癞蛤

ma cóng tā zuǐ li tiào chū lái
蟆从她嘴里跳出来。

jì mǔ qì huài le yī xīn
继母气坏了，一心

xiǎng hài sǐ nán rén de nǚ ér
想害死男人的女儿。

yī tiān tā bǎ yī duī zāng xiàn fàng
一天，她把一堆脏线放

zài nǚ hái jiān shang yòu gěi tā yī
在女孩肩上，又给她一

bǎ fǔ zi ràng tā qù bǎ hé shang
把斧子，让她去把河上

de bīng páo kāi bǎ xiàn xǐ gān jìng
的冰刨开，把线洗干净。

nǚ hái zi káng zhe xiàn lái dào bīng dòng de hé shang kāi shǐ páo bīng zhè
女孩子扛着线来到冰冻的河上，开始刨冰。这

shí hou pǎo guò lái le yī liàng piào liang de mǎ chē guó wáng zuò zài lǐ miàn wèn
时候跑过来了一辆漂亮的马车，国王坐在里面，问

tā zài zhè zuò shén me tā shuō yào páo kāi bīng xǐ xiàn guó wáng tóng qíng tā
她在这做什么？她说要刨开冰洗线。国王同情她，

kàn tā zhǎng de yòu hěn piào liang wèn tā yuàn bù yuàn yì zuò wáng hòu tā tóng yì
看她长得又很漂亮，问她愿不愿意做王后，她同意

le guó wáng bǎ tā jiē dào wáng gōng li hé tā jǔ xíng le hūn lǐ yī nián
了。国王把她接到王宫里和她举行了婚礼。一年

hòu tā shēng le yī gè xiǎo wáng zǐ
后，她生了一个小王子。

继母知道了，带着丑女儿来到了王宫里，一天，她们趁国王出去时，把王后扔到了窗外的河里。丑姑娘装做王后躺在了床上。国王回来要见见妻子，继母扮成仆人说，王后正发烧，需要休息。第二天，国王和假王后一块闲谈，假王后每说一句话，嘴里就跳出一只癞蛤蟆来，国王看她不再吐金子了，感到非常奇怪。

夜里，一个小厨师看见有一只鸭子从厨房的阴沟里游了上来，小鸭子问他："小王子在干什么？"

小厨师说："他在摇篮里睡觉。"

鸭子马上变成了王后，上楼给小王子喂奶，喂过奶后，她又变成了鸭子游走了。这样过了两夜。

第三夜，王后跟小厨师说："你叫国王来，让他用宝剑在我的头上挥三下。"国王被请来了，在她的头上用宝剑挥了两下，当他挥第三下时，魔法被解除了。国王于是把她藏在了一个小屋里，然后他把继母叫来说："一个人把别人扔到了河里，你看她应该得到什么处分？"

继母说："应该把那坏家伙装在钉着钉子的圆桶里，从山上推下去，让他滚到河里去。"国王马上叫人取来了

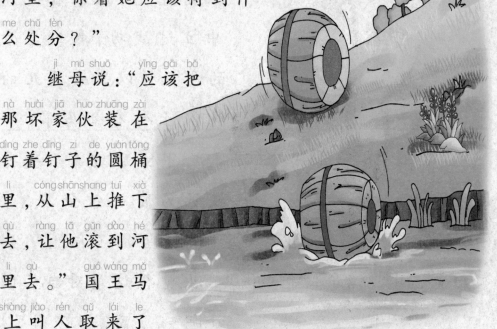

一个钉着钉子的圆桶，然后把继母和她的丑女儿装到了里面，把桶从山上推下去，两个坏心肠的女人掉到河里淹死了。

甲虫

皇帝的马儿四只脚上都有一个金马掌，为什么呢？因为这匹马不但长得漂亮，而且在战斗中立过战功，救过皇帝的命，所以皇帝马儿的脚掌上钉有金马掌。

甲虫爬过来，也要铁匠为自己钉金马掌，铁匠坚决不同意，甲虫觉得这是对自己的侮辱，就离家流浪去了。

甲虫先飞到一座美丽的小花园里，这儿玫瑰花和薰衣草正开得非常茂盛，香味沁人。

一只小瓢虫飞过来问甲虫："你看这里的花美

丽吗？"没等甲虫回答，小瓢虫又接着赞叹："这花多香啊！真美！"甲虫不屑一顾："我看惯了比这更好的东西。这就是美？连一个粪堆都不是。"

甲虫继续向前走，碰到一只毛虫。毛虫正在心满意足地喃喃自语："这世界多么美丽啊！太阳那么温暖，一切都那么快乐。我再睡一觉吧，醒来就是一只美丽的蝴蝶了。"

甲虫想：只不过是一只蝴蝶，有什么了不起？我是从皇帝的马厩里出来的呢！他又向前走了，来到一片草地，就躺下来休息，一会儿就睡着了。

忽然，甲虫觉得浑身被水泡着，湿得难受，原来天正下着大雨。但是他现在不可能逃避大雨，只好在水里继续睡觉。

大雨在第二天早晨才停，甲虫发现不远处有两只青蛙正在高高兴兴地欣赏雨景，并且说要去游泳。

甲虫问："你们见到过皇帝的马厩吗？那才是高级的享受呢！可惜我无法把它带来。唉！太遗憾了！"甲虫边说边向前走，碰到一块花盆的碎片，在这里还住着好几家蟋蟀。

甲虫决定在这儿住下来，毕竟这碎片可以遮风挡雨呀！

几位蟋蟀的母亲正在聊天，夸耀自己的孩子是多么聪明，又天真又可爱。

甲虫对几位母亲表示赞同，这样他就被请进碎片里面去了。可是有一个小蟋蟀来拔甲虫的胡须，而他的母亲仍然笑容满面，甲虫便借口去找东西吃，不辞而别了。

在一条小水沟旁边，他遇到几个族人。那几只甲虫对他表示欢迎，后来这几只甲虫才知道他是从皇

dì de mǎ jiù lǐ lái de   yī zhī jiǎ chóng jiù bǎ zì jǐ de nǚ ér jià gěi le tā
帝的马厩里来的，一只甲虫就把自己的女儿嫁给了他。

dào le dì sān tiān   jiǎ chóng kāi shǐ wèi tài tai de   kě néng hái yǒu xiǎo
到了第三天，甲虫开始为太太的，可能还有小

bǎo bao de chī fàn wèn tí fā chóu le   zěn me bàn ne   jiǎ chóng guǒ duàn de zuò
宝宝的吃饭问题发愁了，怎么办呢？甲虫果断地做

chū jué dìng táo zǒu
出决定：逃走！

tā táo le yī tiān yī yè   zài yī piàn bái cài yè shang piāo guò le yī tiáo
他逃了一天一夜，在一片白菜叶上漂过了一条

gōu   tiān liàng le   tā zhèng zài xiàng qián zǒu   hū rán bèi yī zhī
沟。天亮了，他正在向前走，忽然被一只

rén shǒu niē le qǐ lái
人手捏了起来。

yuán lái tā yù dào liǎng gè nán hái zi   tā men zhèng
原来他遇到两个男孩子，他们正

zài tàn suǒ kūn chóng zhī shí   suǒ yǐ
在探索昆虫知识，所以

cái bǎ tā niē qǐ lái kàn
才把他捏起来看。

liǎng gè nán hái zi yī zhì rèn
两个男孩子一致认

wéi zhè zhī jiǎ chóng bìng méi yǒu
为这只甲虫并没有

shōu cáng jià zhí   suǒ yǐ tā
收藏价值，所以他

jiù bèi pāo dào kōng zhōng qù le
就被抛到空中去了。

nà gè nán hái zi bì
那个男孩子臂

lì fēi cháng dà   tā yòu zhāng kāi
力非常大，他又张开

le chì bǎng   suǒ yǐ tā yī xià zi fēi de hǎo yuǎn   yī zhí fēi dào yī jiān
了翅膀，所以他一下子飞得好远，一直飞到一间

wēn shì li   zuān jìn yī duī xīn xiān de fèn tǔ zhōng   bù yī huì ér jiù shuì
温室里，钻进一堆新鲜的粪土中，不一会儿就睡

zháo le
着了。

一觉醒来，他发现这温室真好，

又美丽又温暖，他正想找一找

这里有没有亲戚，忽然又

被一只手抓住了。

这次是园丁的小儿

子发现了他。这孩子又聪

明又淘气，抓住他就不放手，一直来到湖边。

这孩子用一根毛线把甲虫绑在一根小棍上，再

把小棍插在一只木鞋里当桅杆，把木鞋当船放在水

面上。

这是一个非常大的湖，水流

逐渐大起来，木鞋离岸越来越远，

小孩子也不管他了。

甲虫吓得浑身

发抖，求生不得，求

死不能，他动弹

不了，也飞不走，

毛线绑得好结实

呀！

一只苍蝇飞过来，夸赞天气好，但并不救他。

甲虫认为这世界太可恶了，而自己太老实了，所以才到处受欺负，得不到一点同情，他想活着有什么意思呢？

正在这时，一条小船过来了，上面坐着几个女孩子。她们看见了甲虫，就把木鞋捞起来，用剪刀把毛线剪断，上岸后，把他放到草上，让他去追求自由。

甲虫飞起来，一直飞到一间高大建筑物的屋顶，他又累又困，从天窗缝落下来，正好落在一匹马身上。过了好一会儿，他睁开眼睛，发现这正是皇帝的马厩，他正坐在钉有金马掌的马身上，他满意极了。通过这次旅行生活使他认识到：其实世界还是很美的。

织补针
zhī bǔ zhēn

cóng qián yǒu yī gēn zhī bǔ yī fu de zhēn zuò wéi yī gēn zhī bǔ zhēn
从前，有一根织补衣服的针。作为一根织补针

lái shuō tā dào hái suàn xì qiǎo yīn cǐ tā jiù
来说，她倒还算细巧，因此她就

xiǎng xiàng zì jǐ shì yī gēn xiù huā zhēn
想象自己是一根绣花针。

qǐng nǐ men zhù yì nǐ men xiàn zài ná zhe
"请你们注意你们现在拿着

de zhè jiàn dōng xi ba tā duì nà jǐ
的这件东西吧！"她对那几

gè qǔ tā chū lái de shǒu zhǐ shuō nǐ
个取她出来的手指说，"你

men bù yào shī shǒu wǒ yī luò dào dì shang
们不要失手，我一落到地上，

nǐ men jiù jué bù huì zhǎo dào wǒ de yīn
你们就决不会找到我的，因

wèi wǒ shì nà me xì ya xì jiù
为我是那么细呀！""细就

xì hǎo le shǒu zhǐ shuō tā men bǎ tā
细好了。"手指说，它们把她

lán yāo jǐn jǐn de niē zhù nǐ men kàn wǒ
拦腰紧紧地捏住。"你们看，我

hái dài zhe suí cóng la tā shuō tā hòu miàn tuō zhe yī gēn cháng xiàn bù
还带着随从啦！"她说。她后面拖着一根长线，不

guò xiàn shang bìng méi yǒu dǎ jié shǒu zhǐ zhèng yòng zhè gēn zhēn féng zhe nǚ chú zi
过线上并没有打结。手指正用这根针缝着女厨子

de yī zhī tuō xié yīn wèi tuō xié de pí miàn liè kāi le xū yào féng yī xià
的一只拖鞋，因为拖鞋的皮面裂开了，需要缝一下。

"这是一件庸俗的工作，"织补针说，"我怎么也不愿钻进去，我要折断！我要折断算了！"于是，她真的折断了。"我不是说过吗？"织补针说，"我是非常细的呀！"

手指想：她现在没有什么用了。不过它们仍然不愿意放弃她，因为女厨子在针头上滴了一点封蜡，同时把她别在一块手帕上。

"现在我成为一根领针，是一种装饰品（穿西装时插在领带上，针头上一般镶有一颗珍珠）了！"织补针说，"我早就知道我会得到光荣的，一个不平凡的人总会得到一个不平凡的地位！"于是，她笑了——当一根织补针在笑的时候，人们是没有办法看到她的面部表情的。她别在那儿，显得很骄傲，好像她是坐在轿车里，左顾右盼似的。"请准许我问一声，您是金子做的吗？"她问她旁边的一根别针，接着又说："你

yǒu yī zhāng fēi cháng hǎo kàn de miàn kǒng　　yī gè zì jǐ de tóu nao　　　zhǐ shì
有一张非常好看的面孔，一个自己的头脑——只是

xiǎo le yī diǎn　nǐ děi shǐ tā zài zhǎng dà yī diǎn cái chéng　yīn wèi fēng là bìng
小了一点。你得使它再长大一点才成，因为封蜡并

bù huì dī dào měi gēn zhēn tóu shang de ya　　　zhī bǔ zhēn hěn jiāo ào de tǐng qǐ
不会滴到每根针头上的呀！”织补针很骄傲地挺起

shēn zi　jié guǒ nòng de zì jǐ cóng shǒu pà shang luò xià
身子，结果弄得自己从手帕上落下

lái le　yī zhí luò dào chú zi zhèng zài chōng xǐ
来了，一直落到厨子正在冲洗

de wū shuǐ gōu li qù le
的污水沟里去了。

xiàn zài wǒ yào qù lǚ xíng le
“现在我要去旅行了，”

zhī bǔ zhēn shuō　　wǒ zhǐ xī wàng wǒ bù yào
织补针说，“我只希望我不要

mí le lù　　dàn shì tā què mí le lù
迷了路！”但是她却迷了路。

jiù zhè ge shì jiè shuō lái　wǒ shì tài xì
“就这个世界说来，我是太细

le　　tā lái dào le pái shuǐ gōu de shí hou
了。”她来到了排水沟的时候

shuō　　bù guò wǒ zhī dào zì jǐ de shēn fen
说，“不过我知道自己的身份，

ér zhè yě suàn shì yī diǎn xiǎo xiǎo de ān wèi
而这也算是一点小小的安慰！”

suǒ yǐ　　zhī bǔ zhēn jì xù bǎo chí zhe tā jiāo ào de tài du　tóng shí yě bù
所以，织补针继续保持着她骄傲的态度，同时也不

shī diào tā dé yì de xīn qíng　　xǔ duō bù tóng de dōng xi zài tā shēn shang fú
失掉她得意的心情。许多不同的东西在她身上浮

guò qù le　cài xiè la　cǎo yè la　jiù bào zhǐ suì piàn la
过去了：菜屑啦，草叶啦，旧报纸碎片啦……

qǐng kàn tā men yóu de duō me kuài　　zhī bǔ zhēn shuō　　tā men bù
“请看它们游得多么快！”织补针说，“它们不

zhī dào tā men xià mian hái yǒu yī jiàn shén me dōng xi　wǒ jiù zài zhè ér　wǒ
知道它们下面还有一件什么东西！我就在这儿，我

jiān dìng de zuò zài zhè ér　kàn ba　yī gēn gùn zi fú guò lái le　tā yǐ
坚定地坐在这儿！看吧，一根棍子浮过来了，它以

为世界上除了棍子以外再也没有什么别的东西，它就是这样一个家伙！一根草浮过来了，看它扭着腰肢和转动的那副样儿！不要以为自己这样了不起吧，你很容易撞到一块石头上去的呀！一张破报纸游过来了，它上面印着的东西早已被人家忘记了。但是，它仍然铺张开来，神气十足。我有耐心地、静静地坐在这儿，我知道我是谁，我永远保持住我的本来面目！"

有一天，她旁边躺着一件什么东西？这东西射出美丽的光彩，织补针认为他是一颗金刚钻，但事实上他是一个瓶子的碎片。因为他发出亮光，所以织补针就跟他讲话，把自己介绍成为一根领针。"我想，你是一颗钻石吧？"她说。"嗯，对啦，属于

这类东西。"于是，双方就相信自己都是价值很高的物件。他们开始谈论，说世上的人一般都是觉得自己非常了不起。"我曾经在一位小姐的匣子里住过，"织补针说，"这位小姐是一个厨子，她每只手上有五根指头，我从来没有看到像这五根指头那样骄傲的东西。不过，他们的作用只是拿着我，把我从匣子里取出来和放进去罢了。""他们也能射出光彩来吗？"瓶子的碎片问。

"光彩！"织补针说，"什么也没有，只是自以为了不起罢了。他们是五个兄弟，都属于手指这个家族。他们互相标榜，虽然他们长短不齐：最前面的一根是'笨摸'，又短又肥，他走在最前列，他的背上只有一个节，因此他只能同时鞠一个躬。可是他说，假如他从一个人身上砍掉的话，这人就不够资格服兵役了；第二根指头叫做'舐罐'，当人在写字的时候，他就握着笔；第三根指头是

'长人'，他伸在别人的头上看东西；第四根指头是'金火'，他腰间围着一条金带子；最小的那根是'比尔——玩朋友'，他什么事也不做，而自己还因此感到骄傲呢！他们什么也不做，只是吹牛，因此我才到排水沟里来了。""这要算是升级！"瓶子的碎片说。

这时，有更多的水冲进排水沟里来了，漫得遍地都是，结果把瓶子的碎片冲走了。"瞧，他倒是升级了！"织补针说，"但是我还坐在这儿，我是那么细。不过我也正因此感到骄傲，而且也很光荣！"于是，她骄傲地坐在那儿，发出许多感想。"我差不多要相信我是从日光里出生的了，因为我是那么细呀！我觉得日光老是到水底下来寻找我。啊！我是这么细，连我的母亲都找不到我了。如果我的老针眼没有断了的话，我想我是要哭出来的——但是

wǒ bù néng zhè yàng zuò kū bù shì yī zhuāngwén yǎ de shì qíng
我不能这样做：哭不是一桩文雅的事情！"

yǒu yī tiān jǐ gè yě hái zi zài pái shuǐ gōu li zhǎodōng xi tā men
有一天，几个野孩子在排水沟里找东西。他们

yǒu shí hou zài zhè lǐ néng gòu zhǎo dào jiù dīng tóng bǎn hé lèi sì de wù jiàn
有时候在这里能够找到旧钉、铜板和类似的物件。

zhè shì yī jiàn hěn zāng de gōng zuò dàn shì tā men què fēi cháng lè yì gàn zhè yàng
这是一件很脏的工作，但是他们却非常乐意干这样

de shì ér
的事儿。

 āi yō yī gè hái zi jiào dào yīn wèi tā bèi zhī bǔ zhēn cì
"哎哟！"一个孩子叫道，因为他被织补针刺

le yī xià yuán lái shì nǐ zhè ge jiā huo wǒ bù shì yī gè jiā huo
了一下，"原来是你这个家伙！""我不是一个家伙，

wǒ shì yī wèi nián qīng xiǎo jiě la zhī bǔ zhēn shuō kě shì shuí yě bù
我是一位年轻小姐啦！"织补针说。可是，谁也不

lǐ tā tā shēnshang de nà dī fēng là zǎo yǐ méi yǒu le quán shēn yǐ jīng biàn
理她，她身上的那滴封蜡早已没有了，全身已经变

de qī hēi dàn shì hēi yán sè néng shǐ rén biàn de miáo tiao yīn cǐ tā xiāng xìn
得漆黑。但是黑颜色能使人变得苗条，因此她相信

tā bǐ yǐ qián gèng xì nèn qiáo yī
她比以前更细嫩。"瞧，一

gè dàn ké qǐ lái le hái zi
个蛋壳起来了！"孩子

men shuō tā men bǎ zhī bǔ zhēn chā
们说，他们把织补针插

dào dàn ké shàngmian sì zhōu de
到蛋壳上面。"四周的

墙是白色的，而我是黑色的！这倒配得很好！"织补针说，"现在谁都可以看到我了，我只希望我不要晕船才好，因为这样我就会折断的！"不过，她一点也不会晕船，而且也没有折断。"一个人有钢做的肚皮，是不怕晕船的，同时还不要忘记，我和一个普通人比起来，是更高一招的。我现在一点毛病也没有。一个人越纤细，他能受得住的东西就越多。"

"砰！"这时，蛋壳忽然裂开了，因为一辆载重车正在它上面碾过去。"我的天，它把我碾得真厉害！"织补针说，"我现在有点晕船了——我要折断了！我要折断了！"

虽然那辆载重车在她身上碾过去了，她并没有折断。她直直地躺在那儿，而且她尽可以一直在那儿躺下去。

cōng shù
枞 树

zài gǔ lǎo de dà sēn lín lǐ　shēngzhǎng zhe gè zhǒng gè yàng de shù mù
在古老的大森林里，生长着各种各样的树木，

qí zhōng yǒu yī kē xiǎo cōng shù　xiǎo cōng shù zài mì lín zhōngzhàn yǒu hěn dà de
其中有一棵小枞树。小枞树在密林中占有很大的

yī kuài tiān dì　kě yǐ jìn qíng de xiǎngshòu
一块天地，可以尽情地享受

yángguāng hé kōng qì　kě shì tā hái bù mǎn
阳光和空气，可是它还不满

zú zǒng mái yuàn zì jǐ zhǎng de xiǎo　zhǎng
足，总埋怨自己长得小，长

de màn　màn màn de　xiǎo cōng shù zhǎng gāo
得慢。慢慢地，小枞树长高

le　zhǎng dà le　dàn tā réng bù kuài lè　yīn
了，长大了，但它仍不快乐，因

wèi tā bù mǎn zú xiàn zài de shēng huó
为它不满足现在的生活。

yī tiān　fá mù gōng rén lái dào zhè lǐ　tā
一天，伐木工人来到这里，他

men tiāo xuǎn nà xiē gāo dà de shàng le nián jì de shù
们挑选那些高大的上了年纪的树

mù　yòu kǎn yòu jù　rán hòu
木，又砍又锯，然后

bǎ fá hǎo de shù mù zhuāng
把伐好的树木装

shàng chē zi yùn zǒu le
上车子运走了。

cōng shù xiǎng dào nà xiē shù
枞树想到那些树

木就这样死去，心里更加郁郁不乐。

第二年春天，一只从南方飞来的鹳鸟告诉枞树，伐走的树被制成船上的桅杆。船在大海上航行，桅杆又高又直，可威风了！枞树也很想到大海上去航行。

太阳光慈爱地照着它，劝告它："好孩子，不要胡思乱想，要珍惜你现在所拥有的呀。"可枞树根本听不进去。

圣诞节快到了。很多人来砍伐枞树，小麻雀悄悄地说："这些树要去做圣诞树了！"枞树心里又躁动起来，它也想去做圣诞树。晨风真诚地劝它："别胡思乱想了，生活在这里是多么自由啊！"

可枞树都听不进去。

一年以后，又快到圣诞节了，人们又来砍圣诞树。枞树使劲地摇动着自己的枝叶，最终引起一个伐木工人的注意。他拿着斧子来到枞树跟前，用力地向根部砍去。真疼啊!枞树忍受着巨痛，直到昏迷过去。

枞树醒来以后，发现自己在一个十分美丽的大厅里。自己身上有各种美丽的饰物，真是五彩缤纷，光彩照人。枞树得意极了，感到这才是自己最辉煌的时刻。

可是节日很快过去了，枞树身上的装饰都被人扯掉，然后被人丢在地窖里。这里又黑又冷，枞树开始后悔了，回忆起生活在密林中的美丽时光，它越想越伤心，便哭了起来。

一只老鼠不理解它为什么哭，枞树后悔地说："以前我一直以为外边的世界比家乡美好，总想到外边闯一闯，想不到会是这个结局。"老鼠安慰它："你能当一回圣诞树，也不枉活一生了。人总有老的时候嘛！"枞树不高兴地说："我还很年轻呀！自己硬要充大，结果落到这种地步，真冤枉！"枞树失去了生的希望，从此沉默了。

春天到了，枞树被人抬出地窖，它又见到阳光，心里又产生了一丝希望，它多想回到故乡去呀！可是它刚抬起头，身上的枯枝就全断了。

一个人用斧子把它拦腰砍断，又一节节劈成柴禾，丢进炉灶里。大火燃烧得很旺，枞树非常难过，可它的叹息声、呻吟声太小了，没有人听得见。

小鬼和太太

从前，在一个乡下有一个美丽的花园，管理花园的是一位园丁。

他的老婆可不是一般的太太，她很有学问，能背诵许多诗篇，她自己还会写出动人的诗集。

园丁的太太有一个外甥，他是一所专科学校的学生，他叫吉塞路普。

有一天，他来到这儿拜访他的舅舅和舅妈。他在无意中听到了舅妈的诗。他觉得这诗很有意思。他说："舅妈，你真有才气！你的诗，你说的话，简直和那

些真正的诗人一样美妙。"园丁听了外甥的话很不高兴。他说："你这是胡说八道！请你不要再讲这一类的话了，你不应该把这种思想灌进你舅妈的脑袋去。她只是一个园丁的老婆，一个粗笨的女人。"

园丁的太太说："事实上花就是才气呀！你种了那么多的花，说明你的才气非常多呀！"园丁说："嗨，你还是去看看你的饭锅吧！"接着他就走进了花园里去。的确，花儿不仅是他的才气，也是他的饭锅，他得好好照料它们。

这位学生就和太太坐下来，跟太太讨论诗的问题。他特别对太太说的那句"大地是美丽的"发表了一大通议论。

他说："大地是美丽的。人们说，征服它吧，于是人们就成了它的统治者。不过有的人用精神来统治它，有的人用身体来统治它。我觉得你说'大地是美丽的’，而且总是穿着节日的服装，这件事本身就是一首充满了哲理的诗，一首让人深思的诗！"

园丁太太说："吉赛路普先生，你说得太好了，你会有很大的前程的。一个人跟你谈一次话以后，立刻就能完全了解自己。我真是太幸运了，有你这样一位有才气的好外甥。"

他们越谈越有趣，就像遇到了知音一样。不过，在他们谈话的时候，厨房里有一个小鬼和一只猫也在谈话。小鬼穿着灰衣服，戴着一顶红帽子。他是专门守在厨房里看护饭锅的。

小鬼对园丁太太很不满意，因为她从来没有想过，在圣诞节的晚上应该给他一汤勺稀饭吃。这可是太不应该了。这是小鬼的祖先们和人达成的一个起码的协议。人们还会在稀饭里加一点黄油和奶酪呢。小鬼说这些话的时候，那只大黑猫

涎水都流到胡子上去了。

小鬼说："这位太太居然说我们小鬼的存在不过是人们的迷信。她的丈夫说'快去看稀饭锅吧,当心稀饭焦啦!'可是她却一点也不放在心上。好吧,现在我就让这锅稀饭烧焦了,让她瞧瞧!"

园丁太太仍然在和她的外甥讨论诗歌问题。

小鬼对那只大黑猫说："看来,园丁的太太是吃了迷魂汤疯了。这样吧,在平常的时候,我不准你偷吃厨房里的奶酪,现在我同意了,你去舔上几口吧。如果你不舔的话,我可是要舔的!"大黑猫果真跳上了厨柜,把头伸进了奶酪罐里大口大口地舔起来。

小鬼自己跑到院子里去逗那只看家狗。他站在狗屋旁边的柴堆上,把两条小腿摆来摆去。不管看家狗跳得怎样高，它总是够不到小鬼。这下把看家狗惹火了。

它又叫又号，院子里的事情闹大了。

小鬼耍了许多花招，还是没有把园丁的太太引到厨房里来。他干脆走到园丁太太和她的外甥谈话的房间门口，站在那儿。他们都看不见小鬼。小鬼却能看得见他们，听得到他们的谈话。

太太说："吉赛路普先生，现在我要请你看一样东西，这件东西就是我所写的几首小诗。不过有几首很长，我给它们起了一个名字，叫作'小鬼集'！"

园丁的太太从抽屉里取出一个小本子。它的封面是淡绿色的，十分精致雅观。

小鬼听到园丁太太的诗集名字叫《小鬼集》时吃了一惊。他说："啊！她原来在写和我有关的诗！她不是说我只是一个迷信的概念吗！我要捏她，捏她的鸡蛋，捏她的小鸡，我要把她的肥牛犊身上的膘捏掉！看我怎么想办法来对付这个女人吧！"

园丁的太太说："这本诗集里有我的真实感情。"

外甥说："舅妈，你能告诉我你为什么喜欢诗的吗？"

园丁的太太说："我喜欢诗歌，因为它迷住了我。它统治了我。你知道，古时候人们有一个迷信，认为屋子里有一个小鬼，它总是不太安分。我想我自己就是一个屋子，我的身体里面的感情和诗就是一个不安分的小鬼。这个小鬼主宰着我，我不得不用诗来歌唱它的威力。"

学生开始朗读园丁太太的诗。

太太在认真地听着，小鬼也在偷偷地听着。当小鬼听到它是怎样光荣，怎样具有魔力，怎样地统治着园丁的太太的时候，他的脸上露出了笑容，他的眼里放射出愉快的光彩。其实，太太说的是诗，但小鬼只是从字面上来理解它，它还以为太太描写的就是它。因此他抬起脚尖站着，好像比原先长高了许多，他非常高兴。

小鬼说："太太真了不起，真有才气！我真对不起她！她把我放在她的诗集里，不久会印出来，这样全世界都会阅读我，知道我的威力了。我必须赶快制止那只讨厌的大黑猫，不能让它舔奶酪了。而且以后我会想办法补偿我的过失，尽量去帮助

这位有才气的太太！"

梦神
mèng shén

丹麦有一个十分著名的神话人物，那就是梦神，他是小孩子心目中最敬佩、最喜欢的朋友。传说中的梦神很会讲故事，孩子们都盼着他来和自己作伴。

这是星期一的晚上，梦神到了一个叫哈尔马的孩子家里。他把小男孩的房间变了个样儿，接着开始讲故事。就在这时，梦神忽然听到了争吵的声音，原来是哈尔马的作业本在嚷："这个哈尔马简直太不像话了，这么简单的题也弄不懂，这么容易的字母也会写错。"梦神听了之后，对哈尔马说道："你这孩子，太令我失

望，我不想给你讲故事了。"说完，一转身就出去了。

第二天，哈尔马很早就起了床，他打开书包，重新把作业做了一遍。这一次，他十分认真，一点错也没有。

星期二的晚上，梦神又来到小男孩的房间。他看了一遍哈尔马的作业，非常满意。为了表扬男孩子，梦神决定带他去外面的世界游览一番。于是，他们就乘着鸟儿起飞了。不一会儿，两人就来到了一个十分美丽的地方。这儿有绿茵茵的草地，有美丽的野花，还有清澈的湖水。梦神带着男孩坐在由六只天鹅牵引的小船上，他们远远望见一座金碧辉煌的宫殿，还有几个公主在向他们热情地招手。公主手中的玩具让哈尔马想起了小时候的保姆，他对梦神说：

"我要回去了，我想去看我的好保姆。"

这天是星期三，天忽然下起雨来。梦神用法力将纸船变成木船，他们准备出海航行。船在海上颠簸着，天空中飞来一队鹳鸟。它们由北向南，排着长长的队列使劲地飞着，看上去非常疲倦。

忽然，一只飞累的小鹳鸟从空中跌落下来，正好掉在船头上。哈尔马把鹳鸟带回家，给它喂足食物和水，然后拍拍它的脑袋说："现在有精神了吧？飞吧，去追你的家人和伙伴，祝你快乐！"鹳鸟向男孩子点头致谢，然后展翅飞上了天空。做完了这一切，小男孩才想起了梦神，他四处寻找，不觉已经醒来。

到了星期四，梦神又来了。他将带哈尔马去参加一对老鼠的婚礼，以奖励男孩子昨天的行为。快乐的时光过得飞快，一眨眼天就亮了。

星期五的晚上，梦神又带哈尔马去参加一对玩具的结婚典礼，婚礼非常热闹喜庆。婚礼之后，梦神带男孩来到了鲜花盛开的田野。那里的景色优美极了，哈尔马要去抓许许多多的蝴蝶来玩，梦神却告诉他："它们都是有灵性的小东西，和人一样，渴望自由自在的生活。世上所有的生物都可以心灵相通，所以，千万不要产生坏念头。"哈尔马点点头，说："我明白了。"

今天是周末。晚上，梦神来向哈尔马告假，他说："我现在要去做许多事情，为人们解除一周的疲劳。我要把所有人的脑袋都清洗一遍，要把天地

jiān suǒ yǒu de dì fang chōng shuā yī xīn ràng zhǎn xiàn zài rén men miàn qián de míng tiān
间所有的地方冲刷一新，让展现在人们面前的明天

shì yī gè qīng xīn de shì jiè hā ěr mǎ hěn dǒng shì lǐ jiě de diǎn diǎn
是一个清新的世界。"哈尔马很懂事，理解地点点

tóu shuō nà nǐ qù máng ba míng tiān jiàn
头，说："那你去忙吧！明天见！"

xīng qī tiān mèngshén jiāng tā de dì di dài lái jiàn hā ěr mǎ mèngshén
星期天，梦神将他的弟弟带来见哈尔马。梦神

de dì di yě huì jiǎng gù shi bù guò tā zhǐ huì jiǎng liǎng zhǒng yī zhǒng shì hǎo
的弟弟也会讲故事，不过，他只会讲两种。一种是好

tīng de gù shi rén tīng le huì biàn de kuài lè xìng fú yī zhǒng shì kǒng bù de
听的故事，人听了会变得快乐、幸福；一种是恐怖的

gù shi tīng le zhī hòu rén jiù huì bèi xià sǐ guò qù
故事，听了之后，人就会被吓死过去。

xiǎo nán hái xīn li hěn jǐn
小男孩心里很紧

zhāng tā pà tīng dào kǒng bù de
张，他怕听到恐怖的

gù shì mèngshén gào su tā bié
故事，梦神告诉他："别

dān xīn wǒ de dì di zhǐ duì bù
担心，我的弟弟只对不

ài xī shēngmìng hé bù zhēn xī shí
爱惜生命和不珍惜时

jiān de rén cái huì jiǎng qǐ
间的人才会讲起

nà ge kǒng bù de gù
那个恐怖的故

shì hā ěr mǎ tīng le
事。"哈尔马听了

mèngshén de huà bù zài hài pà
梦神的话，不再害怕，

tā shuō wǒ zhī dào le wǒ huì hǎo hǎo zhēn xī shí jiān hǎo hǎo xué xí de
他说："我知道了，我会好好珍惜时间，好好学习的。"

mèngshén zàn xǔ de diǎn diǎn tóu shuō nǐ yǐ jīng hěn dǒng shì le zhè
梦神赞许地点点头，说："你已经很懂事了，这

wǒ jiù fàng xīn le
我就放心了。"

雏 菊
chú jú

在乡间的一条大路边，有一座别墅，别墅前面有一个种满了花的小花园和一排涂了油漆的栅栏。在这附近的一条沟里，在一丛美丽的绿草中有一棵小小的雏菊。太阳温暖地、光明地照着它，正如太阳照着花园里那些大朵的美丽的花儿一样。因此它时时刻刻都在不停地生长。

有一天早晨，它的花都开了，它的光亮的小小花瓣，在一个金黄色的太阳心的周围撒开来，简直像一圈光带。它从来没有想到，因为它生在草里，人们不会看到它，所以它要算是一种可怜的、卑微

de xiǎo huā bù tā què shì fēi cháng gāo xìng tā bǎ
的小花。不,它却是非常高兴,它把

tóu diào xiàng tài yáng qiáo zhe tài yáng jìng tīng bǎi líng niǎo
头掉向太阳,瞧着太阳,静听百灵鸟

zài gāo kōng zhōng chàng gē
在高空中唱歌。

xiǎo chú jú shì nà me kuài lè hǎo xiàng
小雏菊是那么快乐,好像

zhè shì yī gè wěi dà de jié rì shì de shì
这是一个伟大的节日似的。事

shí shàng zhè bù guò shì xīng qī yī xiǎo hái zi
实上这不过是星期一,小孩子

dōu shàng xué qù le dāng tā men zhèng zuò zài
都上学去了。当他们正坐在

dèng zi shàng xué xí de shí hou tā jiù zuò
凳子上学习的时候,它就坐

zài tā xiǎo xiǎo de lǜ gěng shàng xiàng wēn nuǎn
在它小小的绿梗上向温暖

de tài yáng guāng xiàng zhōu wéi yī qiè dōng xi
的太阳光、向周围一切东西,

xué xí liǎo jiě shàng dì de rén cí chú jú jué de
学习了解上帝的仁慈。雏菊觉得

tā zài jìng jì zhōng suǒ gǎn shòu dào de yī qiè dōu
它在静寂中所感受到的一切,都

bèi bǎi líng niǎo gāo shēng de měi miào de chàng chū lái
被百灵鸟高声地、美妙地唱出来

le yú shì chú jú huái zhe zūn jìng de xīn qíng xiàng zhe zhè
了。于是雏菊怀着尊敬的心情向着这

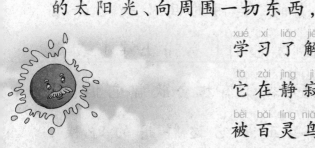

zhī néng chàng néng fēi de xìng fú de niǎo ér níng wàng bù
只能唱能飞的、幸福的鸟儿凝望。不

guò tā bìng bù yīn wèi zì jǐ bù néng chàng gē
过,它并不因为自己不能唱歌

hé fēi xiáng jiù gǎn dào bēi āi
和飞翔就感到悲哀。

wǒ néng kàn yě néng tīng tā xiǎng
"我能看,也能听。"它想,

tài yáng zhào zhe wǒ fēng wěn zhe wǒ
"太阳照着我,风吻着我。

啊！我真是天生的幸运！"栅栏里面长着许多骄傲的名花——它们的香气越少就越装模做样。牡丹尽量扩张，想要开得比玫瑰花还要大，可是问题并不在于庞大。郁金香的颜色最华丽，它们也知道这个特点，所以它们就特别立得挺直，好叫人更清楚地看到它们。它们一点也不理会外面的小雏菊，但是小雏菊却是在看着它们。它心里想："它们是多么富丽堂皇啊！是的，美丽的鸟儿一定会飞向它们，拜访它们！感谢上帝！我离它们那么近，我能有机会欣赏它们！"

正当它这样想的时候，"滴沥！"百灵鸟飞下来了。但他并没有飞到牡丹或郁金香那里去，而是飞到草里微贱的小雏菊身边来了。雏菊快乐得惊惶起来，真不知怎么办才好。这只小鸟在它的周围跳着舞，唱着歌："啊，草儿多么柔软！请看，这是一朵多么甜蜜的小花儿——它的心是金子，它的衣服是银子！"雏菊的黄心看起来也的确像金子；它周围的小花瓣白得像银子。

谁也体会不到，小雏菊心里感到多么幸福！百灵鸟用嘴亲吻它后，对它唱一阵歌，又向蓝色的空中飞去。足足过了一刻钟以后，雏菊才清醒过来。它怀着一种难为情而快乐的心情，向花园里的花儿望了一眼。它们一定看见过它所得到的光荣和幸福，一定懂得这是多愉快的事情。可是郁金香仍像以前那样骄傲，牡丹花也是头脑不清楚。幸而它们不会讲话，否则雏菊就会挨一顿痛骂。

正在这时，一个女孩拿着一把明晃晃的刀子到花园里来了。她一直走到郁金香中间去，把它们一棵一棵地都砍掉了。"这真是可怕！"小雏菊叹了口气。

女孩子拿起郁金香走了。雏菊很高兴，自己生在草里，是一棵寒微的小花。它感到幸运！当太阳落下以后，它就卷起它的花瓣，睡着了。它一整夜梦着太阳和那只美丽的小鸟。第二天早晨，当这花儿向空气和阳光又张开它小手臂般的小白花瓣的时候，它听到了百灵鸟的声音，不过他今天唱得非常悲哀。原来他被捕走了，现在被关在敞着的窗子旁的一个笼子里。可怜的百灵鸟心情坏极了，因为他是坐在牢笼里的一个囚徒。

小雏菊真希望能够帮助他。不过，怎么才能办得到呢？他现在也忘记了周围的一切景物是多么美丽，心中只想着关在牢笼里的鸟儿，感到自己一点办法也没有。"我们可以在这儿为百灵鸟挖起一块很好的草皮。"于是他们就在雏菊的周围挖了一块四四方方的草皮，使雏菊恰好留在草的中间。"拔掉这朵花吧！"一个孩子说。雏菊害怕得发抖，因为如果它被拔掉，就会死去。它现在特别需要活下去，它要跟草皮一道到被囚的百灵鸟那儿去。"不，留下它吧！"另一个孩子说，"它可以做成一种装饰品。"这么着，它就被留了下来，而且还到了小笼子里百灵鸟的身边。

这只可怜的鸟儿一直在为他失去了自由而啼哭，用翅膀打着牢笼的铁柱。小雏菊说不出话来，更找不出半个字眼来安慰百灵鸟——虽然它很想这么做。"这儿没有水喝。"被囚禁的百灵鸟说，"我的喉咙在发焦，我身体里像有火，又像有冰，而且空气又非常沉闷。啊，我要死了！我要离开温暖的太阳、新鲜的绿草和一切美景了！"

于是，他把嘴伸进清凉的草皮里去，这时他发现了雏菊。百灵鸟对它点头，用嘴亲吻它，同时说：

"你也只好在这儿枯萎下去了——你这可怜的小花儿！他们把你和跟你生长在一起的这一小块绿草送给我，来代替我在外面的那整个世界！对于我来说，现在每根草就是一棵绿树，你的每片白花瓣就

是一朵芬芳的花。啊！你使我记起，我丧失了真不知多少东西！""我希望能安慰他一下！"小雏菊想。

但是，它连一片花瓣都不能动。不过它精致的花瓣所发出的香气，比它平时所发出的香气要强烈得多。百灵鸟也注意到了这一点，所以他虽然渴得要昏倒，也只是吃力地啄着草叶，而不愿意动这棵花。

天已经黑了，还没有人来送给这可怜的鸟儿一滴水。他把美丽的翅膀展开，痉挛地拍着。他的歌声变成了悲哀的尖叫，他的小头向雏菊垂下来——百灵鸟的心在悲哀和渴望中碎裂了。雏菊再不像

qián tiān wǎnshang nà yàng bǎ huā bàn hé shàng lái shuì yī
前天晚上那样，把花瓣合上来睡一

jiào tā de xīn hěn nán guò tā de shēn tǐ bìng le
觉。它的心很难过，它的身体病了，

tóu dǎo zài le tǔ shang
头倒在了土上。

xiǎo hái zi dì èr tiān zǎo chen kàn jiàn niǎo
小孩子第二天早晨看见鸟

ér sǐ le dōu kū le qǐ lái tā men wèi
儿死了，都哭了起来。他们为

bǎi líng niǎo jué le yī gè zhěng qí de fén mù
百灵鸟掘了一个整齐的坟墓，

bìng qiě yòng huā bàn bǎ tā zhuāng shì le yī fān wèi
并且用花瓣把他装饰了一番，为

kě lián de niǎo ér jǔ xíng le yī gè lóng zhòng de
可怜的鸟儿举行了一个隆重的

zàng lǐ zài tā huó zhe néng chàng gē de shí hou
葬礼。在他活着能唱歌的时候，

rén men ràng tā zuò zài láo lóng li shòu kǔ shòu nàn
人们让他坐在牢笼里受苦受难；

xiàn zài tā què dé dào le zūn róng hé yī duī yǎn lèi
现在他却得到了尊荣和一堆眼泪。

kě shì nà kuài cǎo pí lián dài zhe chú jú bèi
可是，那块草皮连带着雏菊被

rēng dào lù shang de huī chén li qù le shuí yě méi
扔到路上的灰尘里去了。谁也没

yǒu xiǎng dào tā ér zuì guān
有想到它，而最关

xīn bǎi líng niǎo zuì yuàn yì
心百灵鸟、最愿意

ān wèi tā de zhèng shì
安慰他的正是

tā
它。

131

夜莺
yè yīng

这故事是许多年以前发生的。有一个中国皇帝，他的宫殿是世界上最华丽的。它是用精致的瓷砖砌成的，价值非常高。人们在御花园里可以看到世界上最珍奇的花儿。这花园是那么大，连园丁都不知道它的尽头是在什么地方。如果一个人不停地向前走，他可以碰到一个茂盛的树林，里面有很高的树，还有很深的湖。这树林一直伸展到蔚蓝色的深沉的海边。

这树林里住着一只夜莺，它歌唱得非常美妙，连一个忙碌的穷苦渔夫夜间出去收网的时候，一听到它歌唱，也不禁要停下来欣赏一下。"我的天，唱得多美啊！"他说。

世界各国的旅行家都到这位皇帝的首都来，欣赏这座皇城、宫殿和花园。不过，当他们听到夜莺歌唱的时候都会说："这是最美的东西！"

这些旅行家回到本国以后，都谈论着这只鸟。许多学者还把它写在书里，放在一个重要位置。一些诗人还写了许多美丽的诗篇歌颂它。

这些书流行到全世界，有几本也居然流传到皇帝手里来了。"这是怎么一回事呀？"皇帝说。"夜莺！我完全不知道这只夜莺！我的帝国里有这样一只鸟儿？而且居然就在我的花园里？我从来没听说过这件事！这事我居然只能从书本上读到！"

于是，他把他的侍臣召来。这侍臣是一位高傲的人物，任何比他地位低的人，只要跟他讲话或者

问他一件什么事情，他总是简单地回答
一声："呸！"不过，他说他也没听到过
夜莺的名字。听了皇帝的询问，他只是
连声说："我得去找找它！我得去找找它！"

可是到什么地方去找呢？

他在台阶上走上走下，在大
厅和长廊里跑来跑去，但
是他所遇到的人都说没
有听到过什么夜莺。这
位侍臣只好跑回皇帝那
儿去，说这一定是写书的
人捏造的一个神话。

"但是我读过的那本书，"
皇帝说，"是日本国皇帝送来
的，因此决不能是捏造的。我
要听听夜莺歌唱！今晚必须
把它找来！如果今晚它来
不了，宫里所有的人，一吃
完晚饭就得挨板子！"

"遵命！"侍臣说。于是，他又在台阶上走上走下，在大厅和走廊里跑来跑去。宫里有一半的人跟着他乱跑，因为大家都怕挨板子。人们开始了大规模的调查。最后，他们在厨房里碰到一个穷苦的小女孩，她说："哎呀，老天爷，原来你们要找夜莺！我跟它再熟悉不过啦！是的，它唱得很好听。每天晚上我回家经过树林，正当我走得疲倦时，就会听到夜莺唱歌。我的眼泪就流出来了，我觉得好像我的母亲在吻我似的！"

"小丫头！"侍臣说，"我将为你在厨房里派一个固定的职位，使你能服侍皇上吃饭。但是你得把我们带到夜莺那儿去，因为它今晚得在皇上面前表演。

这样，他们就一同到夜莺经常唱歌的那个树林里去了。宫里一半的人都出动了，他们正走着的时

候，一头母牛叫了起来。

"呀！"一位年轻的贵族说："现在我们可听到夜莺叫了！我以前在什么地方听到过这声音。""错了，这是牛叫！"厨房小女佣人说。现在沼泽里的青蛙又叫起来。宫廷祭司说："现在我算是听到夜莺叫了——听起来像庙里小钟的响声。""错了，这是青蛙的叫声！"小女佣人说。

夜莺开始歌唱了。"这才是呢！"小女佣人说。"听啊，听啊！夜莺就栖在那儿了。"她指着树枝上一只小小的灰色鸟儿。"这可能吗？"侍臣说："我从来没有想到它会是这么一副样儿！你们看它是多么平凡啊！这一定是因为它看到有这么多官员在旁边，吓得失去了光彩的缘故。""小小的夜莺！"小女佣人高声喊道，"我们仁慈的皇上希望你到他面前去

唱 唱歌啊。""我非常高兴!"夜莺说着就唱了起来。

"这声音像玻璃钟一样好听!"侍臣说。"我们过去从来没有听到过。小夜莺啊!我感到非常荣幸,邀请你到宫里去参加一个晚会,你得用你美妙的歌喉去侍侯圣朝的皇上。""我的歌只有在绿色的树林里才唱得最好!"夜莺说,不过,当它听说皇帝希望见它的时候,它还是去了。

宫殿被装饰得焕然一新,瓷砖砌的墙和铺的地,在无数金色的亮光中闪闪发亮。那些挂着银铃的、最美丽的花朵,现在都被搬到走廊上来了。走廊上有许多人跑来跑去,卷起一阵微风,把所有的银铃吹得叮叮当当地响起来。在皇帝坐着的大殿中央,竖起了一根金制的栖柱,让夜莺栖在上面。宫里的人全都来了,厨房里的那个小女佣人也得到许可站在门后侍候,她现在已获得了真正的"御厨"的称号。

大家都穿上最好的衣服，望着这只灰色的小鸟，因为皇帝在对它点头。

于是，这只夜莺就唱起来了。它唱得那么美妙，连皇帝都流下眼泪来，一直流到了他的脸上。

夜莺唱得越来越好听，皇帝显得那么高兴，甚至下令把他的金拖鞋挂在这只鸟儿的颈上。

不过，夜莺谢绝了，说它得到的报酬已经够了。

"我看到了皇上眼里的泪珠——这对于我来说是最宝贵的东西。上帝知道，我得到的已经不少了！"于是，它用甜美的声音又唱了一曲。"这种逗人爱的撒娇的样子我简直没有看过！"在场的一些宫女们说。人们跟她们讲话时，她们故意把水倒进嘴里，弄出咯咯的响声来，她们以为她们也是夜

莺。童仆和丫环们也表示对夜莺很满意。他们这
种评语不是很简单的，因为他们是最不容易得到满
足的一些人物。一句话，夜莺获得了极大的成功。

夜莺现在要在宫里住下来了，它已经有了它自己
的笼子，它现在只有白天出去两
次和夜间出去一次散步的自由，
每次总有十二个仆人跟着。他
们牵着系在它腿上的一根丝线，而且老
是牵得很紧，像这样的出游并不
是一件轻松愉快的事情。

现在，整个京城里
的人都在谈论着这只
奇异的鸟。当人们见
面的时候，如果一个说
"夜"，另一个会接着说
"莺"。他们互相叹气，彼此心照不宣。有十一个小
贩子的孩子甚至都起了"夜莺"的这个名字，不过他
们谁也唱不出一个歌调来。

一天皇帝收到了一个大包裹，上面写着"夜莺"两

个字。"这又是一本关于我们这只鸟的书！"皇帝说。

不过这并不是一本书，而是一件装在盒子里的工艺品——一只人造的夜莺。它跟天生的夜莺一模一样，但是它全身镶满了钻石、红玉和碧玉。这只人造的鸟儿，只要上好发条，就能唱出一只真夜莺所唱的歌。同时它的尾巴还能上下地动、射出金色或银色的光来。它的颈上挂着一根小丝带，上面写着："日本皇帝的夜莺，比起中国皇帝的夜莺来，是微不足道的。"

"这只鸟真好看！"大家都说。

送来这只人造夜莺的那人，马上就被封了一个称号——"皇家首席夜莺使者"。

"现在让它们在一起唱吧，那将是多么好听的二重奏啊！"这样，两只鸟就在一起唱了。不过，这个办法却行不通。因为那只真正的夜莺是按照自己的方式随意唱的，而这只人造的鸟儿只能唱华尔兹舞曲那个老调。现在这只人造的鸟儿只好单独唱了，它所获得的成功，也比得上那只真正的夜莺，而且它的外表还要漂亮得多。

它把同样的调子唱了三十三遍，还不觉得疲倦。大家都愿意继续听下去。不过，皇帝说那只自学成才的夜莺也应该唱点什么才好。可是它到什么地方去了呢？谁也没有注意到它已经飞出了窗子，回到它的青翠的树林里去了。

所有朝臣都咒骂那只夜莺，说它是一个忘恩负义的东西。

他们指着那只人造的鸟儿说："我们总算是有了一只最好的鸟儿了。"

因此，那只人造的鸟儿又得唱了。他们把那个同样的曲子又听了第三十四遍。虽然如此，他们还是记不住，因为这是个很难的曲子。乐师把这鸟儿大大称赞了一番，说它肯定要比那只真夜莺要好得多！因为人们永远猜不到一只真夜莺会唱出什么歌来，而在这只人造夜莺的身体里，却是一切早就安排好了的。

于是这只人造夜莺被公开展览。老百姓听了它的歌，也都非常满意。可是，听到过真正夜莺唱歌的那个渔夫却说："它唱得倒也不坏，很像一只真鸟儿，但总像是缺少点什么东西！"真正的夜莺被逐出这个国土去了。那只人造夜莺在皇帝床边一块丝垫子上住了下来，它已被封为"高贵皇家夜间歌手"了。

整整一年过去了，皇帝和朝臣们以及其他人，都背得出这

只人造鸟儿所唱的每一句。不过，正因为现在大家

都学会了，也就更喜欢这只鸟儿了。现在大家都在

跟着它一齐唱："吱——吱——吱——格碌——格

碌！"这真是可爱得很！不过一天

晚上，正当这只鸟儿唱得起劲儿，

皇帝正躺在床上静听的时候，鸟儿

身体里面忽然发出一阵"哑哑"的声

音来，有一件什么东西断了。"嘘

——"的一声，所有的轮

子都狂转起来，于是歌

声也就停止了。

皇帝立即跳下床，

命令把他的御医召来。

可是这位御医能有什么办

法呢？于是大家又去请一个钟表匠来，经过一番检

查和研究以后，总算把这鸟儿勉强修好了。不过他

说，今后必须仔细保护，因为它里面的齿轮已经用

坏了，要配上新的齿轮才能奏出音乐，但是这很困

难。这真是一件悲哀的事情！这鸟儿只能一年唱一

次了，而这还说是用得有点过分！

五个年头过去以后，一件真正悲哀的事情发生了。这个国家的人都很喜欢他们的皇帝，而现在他却生了病，并且据说他已不能久留人世了。新的皇帝已经选好，老百姓都跑到街上向侍臣探问他们的老皇帝的病情。

皇帝躺在华丽的大床上，身体冷冰冰的，面色惨白。整个宫廷里的人都以为他死了。可是，皇帝还没有死，他僵硬地、惨白地躺在床上。床顶悬着天鹅绒的帷幔，上面缀着厚厚的金丝穗子。顶上面的窗子开着，月光照在皇帝和那只人造夜莺的身上。

这位可怜的皇帝几乎不能

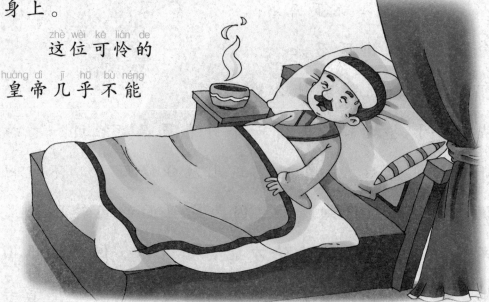

呼吸了，他的胸口好像压着一件什么东西。他睁开眼睛，看到死神坐在他的胸口，并且还戴上了他的金冠，一只手拿着皇帝的宝剑，另一只手拿着他华贵的令旗。四周有许多奇形怪状的脑袋从天鹅绒帷幔的褶纹里偷偷地伸出来，有的很丑，有的温和可爱。这些东西都代表皇帝所做过的好事和坏事。

现在死神既坐在他的心坎上，它们就特地伸出头来看他。

"你记得这件事吗？

你记得那件事吗？"

它们一个接一个地说，

弄得皇帝的前额冒

出了许多汗珠。"我

不知道这些事！"

皇帝叫喊，"快把

音乐奏起来呀！别

让我听到他们讲的这些事情呀！"

然而它们还是在不停地讲，死神听着它们所讲的话，不断地点头。"把音乐奏起来呀！"皇帝叫喊，

"你这只宝贵的小金鸟儿，唱吧，唱吧！我曾送给你贵重的金礼品，现在请你唱歌，唱呀！"可是，这只鸟儿站着动也不动一下，因为没有谁来替它上发条，而它不上好发条就唱不出歌来的。死神继续用他空洞的大眼睛盯着皇帝，四周是一片可怕的寂静。

正在这时候，窗外传来了美丽的歌声。这就是那只活的夜莺，它栖在外面的一根树枝上，它听到皇帝可悲的情况，特地来为他唱点安慰和希望的歌。它唱着的时候，那些幽灵的面孔就渐渐变淡了，同时在皇帝孱弱的肢体里，血也开始流得快起来。甚至死神自己也开始听起歌来，而且还说："唱吧，小夜莺，请唱下去吧！"

死神把金剑、令旗、金冠都交了出来，听夜莺唱那安静的教堂墓地——那儿长着白色的玫瑰花，接骨木发出香气，新草染上了哀悼者的眼泪。死神这时眷念起自己的花园来，于是他就变成一股寒冷的白雾，从窗口消逝了。"多谢你！多谢你！"皇帝说，"你这只神圣的小鸟！我现在懂得你了。我曾把你从我的国土上赶出去，而你却用歌声把那些邪恶从我的床边驱走，同时也把死神从我的心中去掉，我将用什么东西来报答你呢？""您已经报答我了！"夜莺说，"我第一次唱的时候，我从您的眼里得到了您的泪珠——我永远不会忘记这件事。每一滴眼泪都是一颗珠宝，它可以使一个歌者心花怒放。不过，现在请您睡吧，请您保养精神，健康起来吧！我将再为您唱一支歌。"

于是，它又唱起来，皇帝就甜蜜地睡着了。啊，这一觉是多么

wēn nuǎn　duō me yú kuài a
温暖，多么愉快啊！

dāng tā xǐng lái gǎn dào shén zhì qīng xīn　tǐ lì huī fù le de shí hou　tài
当他醒来感到神志清新，体力恢复了的时候，太

yáng cóng chuāng zi li zhào shè jìn lái　zhèng zhào zài tā de shēn shang　tā de shì cóng
阳从窗子里照射进来，正照在他的身上。他的侍从

yí gè yě méi yǒu lái　yīn wèi tā men dōu yǐ wéi tā yǐ jing sǐ le　dàn shì
一个也没有来，因为他们都以为他已经死了。但是

yè yīng réng rán zhàn zài tā de shēn biān chàng gē　qǐng nǐ yǒng yuǎn gēn wǒ zhù zài
夜莺仍然站在他的身边唱歌。"请你永远跟我住在

yì qǐ ba　huáng dì shuō　nǐ xǐ huan zěn yàng chàng jiù zěn yàng chàng　wǒ yào
一起吧！"皇帝说，"你喜欢怎样唱就怎样唱，我要

bǎ nà zhī rén zào niǎo ér　zá chéng yì qiān kuài
把那只人造鸟儿砸成一千块

suì piàn
碎片。"

qǐng bù yào zhè yàng zuò
"请不要这样做

ba　yè yīng shuō　tā yǐ
吧，"夜莺说，"它已

jīng jìn le tā zuì dà de nǔ
经尽了它最大的努

lì　réng rán ràng tā liú zài
力。仍然让它留在

nín de shēn biān ba　wǒ bù
您的身边吧，我不

néng zài gōng li zhù cháo zhù xià
能在宫里筑巢住下

lái　bù guò　dāng wǒ xiǎng
来。不过，当我想

lái de shí hou　qǐng nín jiù
来的时候，请您就

ràng wǒ lái ba　wǒ zài huáng
让我来吧。我在黄

hūn shí hou huì qī zài chuāng wài de shù zhī shang　wèi nín chàng zhī gē ér　jiào nín
昏时候会栖在窗外的树枝上，为您唱支歌儿，叫您

kuài lè　yě jiào nín shēn sī　wǒ yào gē chàng nà xiē xìng fú de rén men hé nà
快乐，也叫您深思；我要歌唱那些幸福的人们和那

受难的人们；我要唱出隐藏在您周围的善和恶。"

夜莺继续说："您的小小的歌鸟现在要远行了，它要飞到那个穷苦的渔夫身旁去，飞到农民的屋顶上去，飞到住得离您和您的宫廷很远的每个人身边去。比起您的王冠来，我更爱您的心，然而王冠却也有它神圣的一面。我将会再来，为您唱歌。不过我要求您答应我一件事。"

"什么都成！"

皇帝说。"请您不要告诉任何人，说您有一只会讲出任何事情的小鸟。只有这样，一切才会美好。"于是，这只夜莺就飞走了。

侍从们都进来瞧他们死去了的皇帝。他们一下子都惊呆在那儿，而皇帝却说："早安！"

彗星

什么是彗星呢？它就是老百姓所讨厌的"扫帚星"。据说它每隔六十年准时出现一次。

有一位学识渊博的老师说："一切东西都会再来的！"当这位老师第一次看到彗星的时候，他只是个小孩子；当他第二次看彗星时，他已经是一位白发苍苍的老教师了。那时候，他在肥皂泡里观看美丽的"未来"；现在，他只能在泡影中看"过去"了。

这一天，老教师给他的学生们讲了威廉·退尔的故事：威廉是一位瑞士人。那时候，他的国家被侵占了。

qīn lüè jūn de tóu mù yāo qiú chéng li de jū mín   bì xū xiàng tā men guó jiā de
侵略军的头目要求城里的居民，必须向他们国家的

guó qí tuō mào jìng lǐ   biǎo shì zūn jìng
国旗脱帽敬礼，表示尊敬

hé chén fú   dàn wēi lián shì yī wèi
和臣服。但威廉是一位

fēi cháng ài guó de rén   tā bù jǐn méi tuō
非常爱国的人，他不仅没脱

mào   lián kàn yě méi kàn guó qí yī yǎn   shǒu wèi
帽，连看也没看国旗一眼。守卫

de shì bīng lì jí bǎ tā zhuā le qǐ lái   nù qì chōng
的士兵立即把他抓了起来，怒气冲

chōng de shuō   hǎo dà de dǎn zi   rú guǒ nǐ bù
冲地说："好大的胆子！如果你不

xiǎng zuò láo de huà   míng tiān dài zhe nǐ de ér zi
想坐牢的话，明天带着你的儿子

lái   wǒ yào zài tā de tóu shang fàng yī
来。我要在他的头上放一

gè píng guǒ   rú guǒ nǐ néng zài yī bǎi
个苹果，如果你能在一百

mǐ zhī wài shè zhòng píng guǒ   wǒ jiù fàng
米之外射中苹果，我就放

le nǐ
了你。"

méi xiǎng dào wēi lián   tuì ěr què yì rán dā ying le zhè jiàn kē kè de
没想到威廉·退尔却毅然答应了这件苛刻的

shì qing
事情。

dì èr tiān   tā guǒ rán dài zhe ér zi lái dào le shì zhèng tīng   zài yī
第二天，他果然带着儿子来到了市政厅。在一

bǎi mǐ zhī wài dā gōng shè jiàn   lì jiàn zhǔn què wú wù de shè zài le píng guǒ shang
百米之外搭弓射箭，利箭准确无误地射在了苹果上。

zhè shí   qīn lüè jūn de tóu mù zhǐ hǎo dā ying fàng rén   dàn tā fā xiàn wēi lián
这时，侵略军的头目只好答应放人。但他发现威廉

de huái zhōng cáng zhe yì zhī jiàn   biàn zhì wèn dào   nǐ wèi shén me yào zài huái li
的怀中藏着一支箭，便质问道："你为什么要在怀里

cáng zhe jiàn ne   wēi lián jiān dìng de shuō   rú guǒ nà zhī jiàn shè bù zhòng de
藏着箭呢？"威廉坚定地说："如果那支箭射不中的

话，我就把这支箭刺入你的心脏。"侵略军头目一听，大怒，又命人将威廉·退尔抓进监牢。

这位白发苍苍的老教师对学生说："这件事情曾经发生在瑞士。但同样的，事情也曾经发生在丹麦，发生在挪威。它们如同彗星一样，常常会重新出现——过去了，然后又会回来。虽然我以后再也看不到彗星了，但是我相信，它一定会再回来的。"

mù yáng nǚ hé sǎo yān cōng de rén
牧羊女和扫烟囱的人

zài yī jiān gǔ lǎo de dà fáng zi li，kào zuǒ biān de qiáng bì qián，lì
在一间古老的大房子里，靠左边的墙壁前，立
zhe yī gè dà wǎn guì，diāo kè de hěn
着一个大碗柜，雕刻得很
xì zhì，shàngmiàn yǒu lù jiǎo hé juǎn
细致，上面有鹿角和卷
fà shì de huā wén，zhèngzhōng jiān shì
发似的花纹，正中间是
yī gè zhǎng zhe bā zì hú，shēng
一个长着八字胡，生
zhe liǎng tiáo gōng yáng tuǐ de jiāng
着两条公羊腿的将
jūn。hái zi men dōu bǎ zhè
军。孩子们都把这
ge dà wǎn guì jiào "gōng yáng jiāng
个大碗柜叫"公羊将
jūn"。
军"。

gōng yáng jiāng jūn
"公羊将军"
de xià mian yǒu yī zhāng zhuō
的下面有一张桌
zi，zhuō zi shàng yǒu liǎng gè
子，桌子上有两个
cí rén。yī gè shì mù yáng nǚ，yī duì dà yǎn jing hǎo xiàng huì shuō huà。
瓷人。一个是牧羊女，一对大眼睛好像会说话。
lí mù yáng nǚ bù yuǎn shì yī gè sǎo yān cōng de nián qīng rén。
离牧羊女不远是一个扫烟囱的年轻人。

tā quán shēn qī hēi　xiàng gāng cóng
他全身漆黑，像刚从

yān cōng li pá chū lái de　tā zhǎng
烟囱里爬出来的。他长

de bìng bù bǐ yī wèi yīng jùn de wáng
得并不比一位英俊的王

zǐ chà　sǎo yān cōng de nián qīng rén
子差。扫烟囱的年轻人，

shǒu li ná zhe yī gè tī zi　mù
手里拿着一个梯子。牧

yáng nǚ hé sǎo yān cōng de nián qīng rén
羊女和扫烟囱的年轻人

xiāng ài le　ér qiě yě dìng le hūn
相爱了，而且也订了婚。

mù yáng nǚ yǒu yī gè gǔ bǎn de
牧羊女有一个古板的

lǎo zǔ fù　shì yī gè huì diǎn tóu de
老祖父，是一个会点头的

zhōng guó lǎo tóu　tā jiù pán zhe tuǐ
中国老头。他就盘着腿

zuò zài yī zhāng dà jìng zi xià miàn　tā duì mù yáng nǚ de xíng wéi fēi cháng shēng
坐在一张大镜子下面。他对牧羊女的行为非常生

qì　yīn wèi nà ge gōng yáng jiāng jūn yào qǔ tā
气，因为那个公羊将军要娶他

de sūn nǚ
的孙女。

tā jué de mù yáng nǚ néng jià gěi yī
他觉得牧羊女能嫁给一

gè mǎn dù zi dōu shì yín wǎn pán de jiāng jūn
个满肚子都是银碗盘的将军，

shì tā de fú qi　tā yě kě yǐ chéng wéi yī
是她的福气，他也可以成为一

gè dà fù wēng　zhōng guó lǎo tóu duì
个大富翁。中国老头对

mù yáng nǚ shuō　nà ge gōng yáng jiāng
牧羊女说：“那个公羊将

jūn zhǔn bèi qǔ nǐ zuò tā de qī zi
军准备娶你做他的妻子

啦。从今天起，你必须和那个扫烟囱的家伙断绝来往。"

牧羊女听了老祖父的话，害怕极啦。她说："我可不愿意到那个黑暗的大碗柜里去，那会立刻闷死我的！"

老祖父说："那里面装的是满满的银器呀，你一辈子也用不完呀。"牧羊女说："不！我不愿意！那个公羊将军已经有十一个瓷姨太太了。"老祖父说："你可以做他的第十二个瓷姨太太呀。"牧羊女伤心地哭起来。她对扫烟囱的年轻人说："请你把我带走吧！我在这儿会急死的。"

扫烟囱的年轻人，决定帮助牧羊女逃离这儿。

他教牧羊女沿着桌腿的边上爬下来，走到地面上。这时公羊将军暴跳着吼叫睡觉的中国老头："你快瞧瞧，他们要逃跑啦！"

这时，两个年轻人赶紧藏在一个大花瓶的后

miàn tā men zài cì bǎ tóu shēn chū lái kàn de shí hou mù yáng nǚ shuō bù
面。他们再次把头伸出来看的时候,牧羊女说:"不

hǎo la zhōngguó lǎo tóu yào zǒu xià lái le
好啦!中国老头要走下来了。"

sǎo yān cōng de nián qīng rén lǐng zhe mù yáng nǚ lái dào lú zào mén kǒu tā
扫烟囱的年轻人领着牧羊女来到炉灶门口。他

men zài hēi hū hū de yān cōng li pá zhe pá zhe tā shì nà me gāo gāo dé
们在黑乎乎的烟囱里爬着爬着,它是那么高,高得

ràng rén tóu yūn zuì hòu tā menzhōng yú pá dào yān cōng kǒu zài shàngmiàn zuò
让人头晕。最后,他们终于爬到烟囱口,在上面坐

xià lái zhè shí hou tā men cái gǎn dào fēi chàng pí juàn mǎn tiān de xīng xing
下来。这时候,他们才感到非常疲倦。满天的星星

xiàngliǎng wèi nián qīng rén zhǎ zhǎ yǎn jing biǎo shì huān yíng tā men chéng shì de suǒ
向两位年轻人眨眨眼睛,表示欢迎他们。城市的所

yǒu de fáng wū xiàng hái zi men de jī mù pái liè zài tā men de xià mian yuǎn
有的房屋像孩子们的积木排列在他们的下面。远

chù shì hūn hūn àn àn de shén
处是昏昏暗暗的,什

me yě kàn bù qīng chu
么也看不清楚。

mù yáng nǚ kū le
牧羊女哭了,

sǎo yān cōng de nián qīng rén
扫烟囱的年轻人

jǐn jǐn yōng bào tā fā dǒu
紧紧拥抱她发抖

de shēn tǐ duì tā shuō
的身体,对她说:

bù yào jǐn yī qiè jiù huì hǎo
"不要紧。一切就会好

qǐ lái de wǒ huì dài nǐ dào
起来的。我会带你到

nà kāi mǎn le xiān yàn méi gui huā
那开满了鲜艳玫瑰花

de huā yuán li qù gài yī
的花园里去,盖一

jiān wēn nuǎn de xiǎo wū
间温暖的小屋。"

牧羊女仍然伤心地哭着并要回到那间房子里。

扫烟囱的年轻人提醒她说："那个古板的中国老头，还有那个脾气暴躁的公羊将军，会重新把你锁进大碗柜里的。"但是牧羊女是那样的伤心，还是要求他把她带回到原来的地方去。扫烟囱的年轻人虽然认为这样做是不聪明的，可因为他太爱牧羊女了，他只好这样做。

他们又费了很大的劲，从烟囱里爬回到这间屋子里。

当他们从炉灶后面走出来一看，那个中国老头想走下来追赶他们，从桌子上跌下来，他的头滚到那个大花瓶旁边，他的背掉下来两片。那个山羊将军仍站在那儿，在想什么心事。

牧羊女说："我的老祖父摔坏了，这全是我的过错。我恐怕活不下去了！"于是她又开始哭起来。

扫烟囱的年轻人说："没关系，人们完全可以把他补好的。不过，这样一来，他可能又要逼你嫁给那个公羊将军！"

牧羊女说："我现在只是希望老祖父很快被修好，他应该多活几年。"

中国老头是一个很珍贵的老头。这家人请来了许多高明的工匠来做他的修补工作。他们设法粘好他的背，在他的脖子上钉了一根很结实的铜钉。这样，人们可以看见他的脖子上挂了一块金子，他显得比以前更加珍贵了。

公羊将军说："喂！中国老头，你脖子上的那个铜钉，好像是国王奖给你的珍贵的勋章一样。你还是不要这样摆出一副臭架子，你现在必须回答我：你的那个牧羊女到底做不做我的第十二个瓷姨太太！"

sǎo yān cōng de nián qīng rén hé mù
扫烟囱的年轻人和牧

yáng nǚ kě lián bā bā de wàng zhe zhōng guó
羊女可怜巴巴地望着中国

lǎo tóu
老头。

zhōng guó lǎo tóu xiàn zài yǐ jīng bù
中国老头现在已经不

néng diǎn tóu le nà ge tóng dīng zài tā
能点头了。那个铜钉在他

de bó zi li zhā de hěn shēn rú guǒ tā
的脖子里扎得很深，如果他

xiǎng diǎn diǎn tóu nà me tā de tóu huì tòng
想点点头，那么他的头会痛

de tè bié lì hai
得特别厉害。

zuì hòu sǎo yān cōng de nián qīng rén zhōng
最后，扫烟囱的年轻人终

yú hé piào liang de mù yáng nǚ jié hūn le
于和漂亮的牧羊女结婚了。

dāng nà ge gōng yáng jiāng jūn qì de gā
当那个公羊将军气得"嘎

lā gā lā xiǎng de shí hou tā men
啦嘎啦"响的时候，他们

yì qí zhù fú lǎo zǔ fù bó zi shang
一齐祝福老祖父脖子上

de tóng dīng
的铜钉。

sǎo yān cōng de nián qīng rén hé
扫烟囱的年轻人和

mù yáng nǚ jǐn guǎn jīng shòu guò dān jīng
牧羊女尽管经受过担惊

shòu pà de rì zi xiàn zài tā men
受怕的日子，现在他们

xiāng qīn xiāng ài guò qǐ le xìng fú
相亲相爱，过起了幸福

tián mì de shēng huó
甜蜜的生活。

chènshān lǐng zi
衬衫领子

从前，有一位漂亮的绅士，他所有的财产只是一个脱靴器和一把梳子，但他有一个世界上最好的衬衫领子，我们现在所要听到的就是关于这个领子的故事。

衬衫领子的年纪已经很大，足够考虑结婚的问题。事又凑巧，他和袜带在一块儿混在水里洗。"我的天！"衬衫领子说，"我从来没有看到过这么苗条和细嫩、这么迷人和温柔的人儿，请问你尊姓大名？""这个我可不

能告诉你！"袜带说。"你府上在什么地方？"衬衫领子问。不过袜带是非常害羞的，要回答这样一个问题，她觉得非常困难。"我想你是一根腰带吧？"衬衫领子说，"一种内衣的腰带！亲爱的小姐，我可以看出，你既有用，又可以

做装饰品！""你不应该跟我讲话！"袜带说，"我想，我没有给你任何理由这样做！"

"哦，一个长得像你这样美丽的人儿，"衬衫领子说，"就是足够的理由了。""请不要走得离我太近！"袜带说，"你很像一个男人！""我还是一个漂亮的绅士呢！"衬衫领子说，"我有一个脱靴器和一把梳子！"这完全不是真话，因为这两件东西是属于他的主人的，他不过是在吹牛罢了。"请不要走得离我太近！"袜带说，"我不习惯于这种行为。""这简直是在装

腔作势！"衬衫领子说。这时，他
们从水里被取出来，上了浆，挂
在一张椅子上晒，最后被拿到
一个熨斗板上。现在一个滚热
的熨斗来了。"太太！"衬衫领
子说，"亲爱的寡妇太太，我现在
颇感到有些热了。我现在变成了
另外一个人，我的皱纹全没有了。
你烫穿了我的身体，噢！我要向你求婚！"

"你这个老破烂！"熨斗说，同时很
骄傲地在衬衫领子上走过去，因为她想象自己
是一架火车头，拖着一长串列车，在铁轨上
驰过去。衬衫领子的边缘上有些破损，因此
有一把剪纸的剪刀就来
把这些破损的地方剪
平。"哎哟！"衬衫
领子说，"你一定是一
个芭蕾舞舞蹈家！你
的腿伸得那么直，我

从来没有看见过这样美丽的姿态！世界上没有任何人能模仿你！""这一点我知道！"剪刀说。"你配得上做一个伯爵夫人！"衬衫领子说，"我全部的财产是一位漂亮的绅士，一个脱靴器和一把梳子。我只是希望再有一个伯爵的头衔！""难道他还想求婚不成？"剪刀说。

她生气起来，结结实实地把他剪了一下，弄得他一直复原不了。"我还是向梳子求婚的好！"衬衫领子说，"亲爱的姑娘！你看你把牙齿（注：即梳子齿）保护得

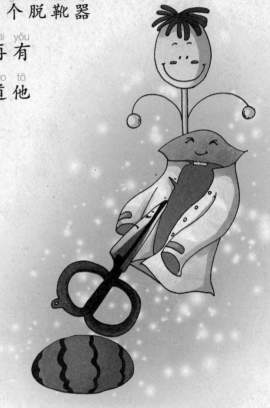

多么好，这真了不起。你从来没有想过订婚的问题吗？""当然想到过，你已经知道，"梳子说，"我已经跟脱靴器订婚了！""订婚了！"衬衫领子说。

现在他再也没有求婚的机会了，因此他瞧不起爱情这种东西。很久一段时间过去了，衬衫领子来

到一个造纸厂的箱子里，周围是一堆烂布朋友：细致的跟细致的人在一起；粗鲁的跟粗鲁的人在一起，真是物以类聚。

他们要讲的事情可真多，但是衬衫领子要讲的事情最多，因为他是一个可怕的牛皮大王。"我曾经有过一大堆情人！"衬衫领子说，"我连半点钟的安静都没有！我又是一个漂亮的绅士，一个上了浆的人。我既有脱靴器，又有梳子，但是我从来不用！你们应该看看我那时的样子，看看我那时不理人的神情！我永远也不能忘记我的初恋——那是一根腰带。她是那么细嫩，那么温柔，那么迷人！她为了我，自己投到一个水盆里去！后来又有一个寡妇，她变得火热起来，不过我没有理她，直到她变得满脸青黑为止！接着来了芭蕾舞舞蹈家，她给了我一个创伤，至今还没有好——她的脾气真坏！我的那把梳子倒是钟情于我，她因为失恋把牙齿都弄得脱落了。是的，像这类的事儿，我真是一个过来人！不过，那根袜带子使我感到最难过——我的意思是说那根腰带，她为我跳进水盆里去，我的良心上感到非常不安，我情愿变成一张白纸！"

事实也是如此，所有的烂布都变成了白纸，而衬衫领子却成了我们所看到的这张纸——这个故事就是在这张纸上被印出来的。事情要这么办，完全是因为他喜欢把从来没有过的事情瞎吹一通的缘故。这一点我们必须记清楚，免得我们干出同样的事情，因为我们不知道，有一天我们也会来到一个烂布箱里，被制成白纸，在这纸上，我们全部的历史，甚至最秘密的事情也会被印出来，结果我们就不得不像这衬衫领子一样，到处讲这个故事。

风车

山上有一个风车，它的样子很骄傲，它自己也真的感到很骄傲。"我一点也不骄傲！"它说，"不过我的里里外外都很明亮，太阳和月亮照在我的外面，也照着我的里面，我还有混合蜡烛的。我是一个有思想的人，我的构造很好，一看就叫人感到愉快。我的怀里有一块很好的磨石，我有四个翅膀——它们生在我的头上，恰恰在我的帽子底下。雀子只有两个翅膀，而且只生在背上。"

"我生出来就是一个荷兰人（注：因为荷兰的风

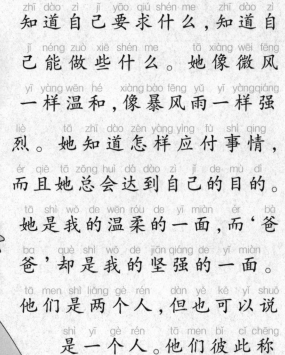

chē zuì duō zhè diǎn kě yǐ cóng wǒ de xíngzhuàng kàn de chū lái yī
车最多），这点可以从我的形状看得出来。'一

gè fēi xíng de hé lán rén wǒ zhī dào dà jiā bǎ zhè zhǒng rén
个飞行的荷兰人'我知道，大家把这种人

jiào zuò chāo zì rán de dōng xi dàn shì wǒ què hěn zì ran
叫做'超自然'的东西，但是我却很自然。

wǒ de dù pí shang wéi zhe yī quān zǒu láng xià mian yǒu yī
我的肚皮上围着一圈走廊，下面有一

gè zhù shì wǒ de sī xiǎng jiù cáng zài zhè lǐ miàn
个住室——我的'思想'就藏在这里面。

bié de sī xiǎng bǎ wǒ yī gè zuì qiáng dà de zhǔ dǎo
别的'思想'把我一个最强大的主导

sī xiǎng jiào zuò mò fáng rén tā zhī dào tā
'思想'叫做'磨坊人'。他知道他

de yāo qiú shì shén me tā guǎn lǐ miàn fěn hé mài
的要求是什么，他管理面粉和麦

zi tā yě yǒu yī gè bàn lǚ míng jiào mā
子。他也有一个伴侣：名叫'妈

ma tā shì wǒ zhēnzhèng de xīn tā bìng bù shǎ lǐ shǎ qì de luàn pǎo tā
妈'，她是我真正的心，她并不傻里傻气地乱跑，她

zhī dào zì jǐ yāo qiú shén me zhī dào zì
知道自己要求什么，知道自

jǐ néng zuò xiē shén me tā xiàng wēi fēng
己能做些什么。她像微风

yī yàng wēn hé xiàng bào fēng yǔ yī yàngqiáng
一样温和，像暴风雨一样强

liè tā zhī dào zěn yàng yìng fù shì qing
烈。她知道怎样应付事情，

ér qiě tā zǒng huì dá dào zì jǐ de mù dì
而且她总会达到自己的目的。

tā shì wǒ de wēn róu de yī miàn ér bà
她是我的温柔的一面，而'爸

ba què shì wǒ de jiān qiáng de yī miàn
爸'却是我的坚强的一面。

tā men shì liǎng gè rén dàn yě kě yǐ shuō
他们是两个人，但也可以说

shì yī gè rén tā men bǐ cǐ chēng
是一个人。他们彼此称

为'我的老伴'。这两个人还有小孩子——'小思想'。这些'小思想'也能长大成人。这些小家伙老是闹个不休！最近我曾经严肃地叫'爸爸'和孩子们把我怀里的磨石和轮子检查一下。我希望知道这两件东西到底出了什么毛病，因为我的内部现在是有毛病了。一个人也应该把自己检查一下。这些小家伙又在闹出一阵可怕的声音来，对我这样一个高高立在山上的人说来，这的确是太不像样子了。一个人应该记住，自己是站在光天化日之下，而在光天化日之下，一个人的毛病是一下子就可以看出来的。"

"我刚才说过，这些小家伙闹出可怕的声音来，最小的那几个钻到我的帽子里乱叫，弄得我怪不舒服的。小'思想'可以长大起来，这一点我知道得清清楚楚。外面也有别的'思想'来访，不过他们不是属于我这个家族，

因为据我看来，他们跟我没有共同之点。那么没有翅膀的屋子——你听不见他们磨石的声音——也有些'思想'。他们来看我的'思想'并且跟我的'思想'闹起所谓恋爱来。这真是奇怪；的确，怪事也真多。我的身上，或者身子里最近起了某种变化：磨石的活动有些异样。我似乎觉得'爸爸'换了一个'老伴'，他似乎得到了一个脾气更温和、更热情的配偶——非常年轻和温柔。但人还是原来的人，只不过时间使她变得更可爱，更温柔罢了。不愉快的事情现在都没有了，一切都非常愉快。"

"日子过去了，新的日子又到来了。时间一天一天地接近光明和快乐，直到最后我的一切完了为止——但不是绝对地完了。我将被拆掉，好使我又能够变成一个新的、更好的磨坊。我将不再存在，但是我将继续活下去！我将变成另一个东西，但同时又没有变！这一点我却难得理解，不管我是被太阳、月亮、混合烛和蜡烛照得怎样'明亮'。我的旧木料和砖土将会又从地上立起来。我希望我仍能保持住我的老'思想'们：磨坊里的爸爸、妈妈、大孩和小孩——整个的家庭。我把他们大大小小都叫做'思想的家属'，因为我没有他们是不成的。但是我也要保留住我自己——保留住我胸腔里的磨石，我头上的翅膀，我肚皮上的走廊，否则我就不会认识我自己，别人也不会认识我，同时会说：'山上有一个磨坊，看起来倒是蛮了不起，但是也没有什么了不起。'"这是磨坊说的话。事实上，它说的比这还多，不过这是最重要的一部分罢了。

日子来，日子去，而昨天是最后的一天。这个磨坊着了火，火焰升得很高，它向外面燎，也向里

miàn liáo， tā tiǎn zhe dà liáng hé mù bǎn， jié guǒ zhè xiē dōng xi jiù quán bèi chī
面燎，它舔着大梁和木板，结果这些东西就全被吃
guāng le。 mò fáng dǎo xià lái le， tā zhǐ shèng xià yǐ duī huǒ huī。 rán guò de
光了。磨坊倒下来了，它只剩下一堆火灰。燃过的
dì fang hái zài mào zhe yān， dàn shì fēng bǎ tā chuī zǒu le。
地方还在冒着烟，但是风把它吹走了。

mò fáng li céng jīng huó zhe guò de dōng xi， xiàn zài réng rán huó zhe， bìng
磨坊里曾经活着过的东西，现在仍然活着，并
méi yǒu yīn wèi zhè jiàn yì wài ér bèi huǐ diào。 shì shí shang， tā hái yīn wèi zhè
没有因为这件意外而被毁掉。事实上，它还因为这
ge yì wài shì jiàn ér dé dào xǔ duō hǎo chu。 mò fáng zhǔ de yī jiā—— yī
个意外事件而得到许多好处。磨坊主的一家——一
gè líng hún， xǔ duō "sī xiǎng"， dàn réng rán zhǐ shì yī gè sī xiǎng—— yòu
个灵魂，许多"思想"，但仍然只是一个思想——又
xīn jiàn le yī gè xīn de、 piào liang de mò fáng。 zhè ge xīn de gēn nà ge jiù
新建了一个新的、漂亮的磨坊。这个新的跟那个旧
de méi yǒu rèn hé qū bié， tóng yàng yǒu yòng。 rén men shuō： "shānshang yǒu yī gè
的没有任何区别，同样有用。人们说："山上有一个
mò fáng， kàn qǐ lái hěn xiàng gè yàng ér！" bù guò zhè ge mò fáng de shè bèi
磨坊，看起来很像个样儿！"不过这个磨坊的设备
gèng hǎo， bǐ qián yī gè gèng jìn dài huà， yīn
更好，比前一个更近代化，因
wèi shì qíng zǒng guī shì jìn bù de。 nà xiē
为事情总归是进步的。那些
jiù de mù liào dōu bèi chóng zhù le， cháo shī le。
旧的木料都被虫蛀了，潮湿了。
xiàn zài tā men biànchéng le chén tǔ， tā
现在它们变成了尘土，它
qǐ chū xiǎngxiàng de wán quánxiāng fǎn， mò fáng de qū tǐ
起初想象的完全相反，磨坊的躯体
bìng méi yǒuchóng xīn zhàn qǐ lái。 zhè shì yīn wèi tā
并没有重新站起来。这是因为它
tài xiāng xìn zì miànshang de yì yì le，
太相信字面上的意义了，
ér rén men shì bù yīng gāi cóng zì miànshang
而人们是不应该从字面上
kàn yī qiè shì qíng de yì yì de。
看一切事情的意义的。

铜猪

欧洲的意大利有个很著名的城市叫佛罗伦萨，人们称它为"花城"。在这个城市的一条小街上有一只铜铸的猪，这个雕塑很精美，谁也不知道这只铜猪在这里有多少年了。

在一个天气寒冷的冬天，天上下着鹅毛大雪。一个可怜的小男孩在公园的木椅上蜷缩着。他又冷又饿，可是他不敢回家，因为小孩子一个钱也没有讨到，妈妈不准他回去。

看守公园的人将小男孩赶了出来，他只好来到大街上，吃了一块捡到的面包片和几片菜叶。小男孩已经很累了，他不知道该去哪儿。于是，孩子爬到铜猪上，一会儿竟睡着了。

睡着睡着，他忽然感到铜猪在动，小男孩听到铜猪说："你坐好，我现在要带你去一个地方。"

铜猪把孩子驮到一个叫乌菲齐的美术馆，带他观赏这里著名的美术作品。小男孩看到了美神维纳斯的像和一幅有着许多美丽漂亮的孩子的图画。等他睁开眼睛，才发现这只不过是一个梦。孩子看到夜已经深了，他想悄悄地溜回家去睡觉。可是，他那狠心的母亲发现男孩两手空空，就把他赶了出来。

清晨，小男孩被一个工匠发现了，好心的工匠把他带回家，把他留在身边做点儿零活儿。每天，小男孩都很勤快地干活，没事做的时候，他常常会想起那只铜猪、那个美术馆和那些动人的图画。

一天，工匠的邻居，一位画家要到美术馆去画画，请小孩帮他提颜料盒。在绘画馆里，小男孩发现了梦中的画像，他高兴极了，而画家那出色的绘画水平更让男孩子佩服。从此以后，小男孩就迷上了画画。在干活之余，他总是用一根树枝在地上画那只铜猪，几百次，几千次，终于，他的画跟广场上的一模一样了。后来，男孩子的笔下又出现了一个骑在铜猪背上的孩子，这孩子虽然衣服破旧，但脸上总是带着幸福的微笑。

后来，这个穷孩子成了有名的画家，他用手中的笔述说着美好的理想和愿望。

十二个懒汉

shí èr gè lǎn hàn

从前有十二个小厮，他们白天什么事都不干，晚上也不肯努力，只是往草地上一躺，各自吹嘘起自己的懒劲来。

第一个说："你们的懒惰和我怎能相比，我有我的懒法。我首先要注意保护身体。我吃得不少，喝得更多。我每天吃顿饭就稍稍停一会儿。等我又饿了，吃起来就更香了。早起可不是我的事，可一到中午，我早就找到了午休的地方了。东家叫我我只装着没听见，他再叫，我还要等一等再站起来，然后慢吞吞地走过去。这种日

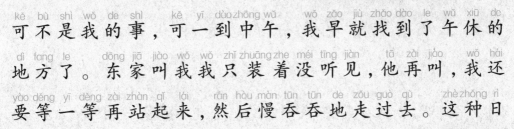

子还凑合。"

第二个说:"我要照看一匹马,可我老把马嚼子塞在它口里,不高兴就根本不放食。如果东家问,我就说喂过了。我自己则躺在燕麦里睡大觉,一睡就是四个小时。醒来后,就伸腿在马身上蹬几脚,算是给马刷洗了。多一事不如省一事,这活干起来我还嫌累呢!"

第三个说:"为什么要拿活儿来苦自己?一点也没什么好处。我干脆躺在阳光下睡大觉,天开始下雨点了,我也懒得起身。以上帝的名义你尽情地下吧!最后下得噼噼啪啪响,大雨竟拔掉我的头发把它们漂走了,我的头上还弄了个大口子,我在上面贴上块膏药,也就好了。这种伤口我已有好几处了。"

第四个说:"要我干活,我先游荡一小时,养足

jīng lì rán hòu màn tiáo sī lǐ de wèn shì fǒu hái yǒu bāng shǒu
精力。然后慢条斯理地问，是否还有帮手。

rú guǒ bié rén bāng zhe gàn jiù ràng tā bǎ zhǔ yào huó ér gàn
如果别人帮着干，就让他把主要活儿干

wán wǒ zhǐ zài páng biān kàn dàn zhè huó ér hái shì tài duō
完，我只在旁边看。但这活儿还是太多

le
了。"

dì wǔ gè shuō nà yǒu shén me
第五个说："那有什么！

qǐng xiǎng xiǎng yào wǒ cóng mǎ jiù lǐ chū
请想想，要我从马厩里出

fèn zài zhuāng shàng mǎ chē màn màn de
粪，再装上马车。慢慢地

lái rú guǒ pá shàng chā zhe shá wǒ jiù
来，如果耙上叉着啥，我就

xiàng shàng bàn jǔ zhe xiān xiū xī yī kè
向上半举着，先休息一刻

zhōng rán hòu cái bǎ fèn chā shàng chē jiù
钟，然后才把粪叉上车。就

suàn wǒ yī tiān zhuāng yī chē nà yǐ gòu duō le wǒ cái bù xiǎng gàn sǐ gàn huó ne
算我一天装一车那已够多了，我才不想干死干活呢！"

dì liù gè shuō zhēn bù yào liǎn
第六个说："真不要脸！

wǒ cái bù pà gàn huó ne wǒ shuì le sān
我才不怕干活呢。我睡了三

zhōu kě méi tuō guò yī jì shén me xié jiǎo
周可没脱过衣。系什么鞋？脚

xià de xié yào diào jiù diào ba yǒu shén me yào
下的鞋要掉就掉吧，有什么要

jǐn shàng lóu tī shí wǒ shì yī tái tuǐ gēn
紧？上楼梯时我是一抬腿跟

yī bù màn màn de shǔ zhe yú xià de jí
一步，慢慢地数着余下的级

shù hǎo ràng zì jǐ zhī dào gāi zài nǎ lǐ
数，好让自己知道该在哪里

zuò xià
坐下。"

第七个说："那有什么了不起的？

我的东家盯着我干活，只是他老不在家。我的速度不会有虫子快，要想让我往前走就得有四个壮汉来推我。我到一张床上睡觉，等我一倒下，他们再也叫不醒我。他想让我回去，只得抬着我走。"

第八个说："我看，只有我是个活泼的汉子。如果我面前有块石头，我决不会费神抬腿跨过去，我索性躺在地上。如果我的衣服湿了或沾上了烂泥，我总是躺在地上，直到太阳把它晒干。中间我顶多翻个身儿，让太阳能照得到。"

第九个说："那办法挺不错！今天我面前有块面包，但我懒得动手去拿，差点儿没饿死。身旁也有个罐，但它样子那样大而且重，我压根儿不想举起它，宁愿忍受饥渴的煎熬，就连翻翻身我也觉得太累，成天像根棍子似的躺着。"

第十个说："懒惰可害苦了我，我断了条腿，另一条小腿还肿着。我一个人躺在了大路上，我把腿尽量伸直。一辆马车过来了，从我的双腿上压过，我本可以把腿缩回来，但我没有听到马车来；一些蚊子正在我耳朵里嗡嗡叫，从我的鼻孔钻进去，又从我嘴里爬出来，谁会费神去赶走它们呢！"

第十一个说："昨天我已辞职不干了。我可没有兴趣为东家去搬那些厚厚的书，整天干都干不完。但说句老实话，是他辞退了我，不再用我了，主要是因为我把他

的衣服放在灰尘里，全被虫子蛀坏了。事情就是这样。"

第十二个说：

"今天我驾着车儿去趟乡下，我为自己在车上做了张床，美美地睡了一觉。等我醒来，缰绳已从我手中滑掉，马儿差点儿脱了辕，马套全丢了，项圈、马勒、马嚼子通通不见踪影。而且车子又掉进了泥坑里。我可不管这一切，又继续躺下，最后东家来了，把马车推了出来。要是他不来，眼下我还躺在车上，舒舒服服地睡大觉呢！"

蝴 蝶

一只蝴蝶想要找一个恋人，自然他想要在群花中找到一位可爱的小恋人，因此他就把她们都看了一遍。每朵花都是安静地、端庄地坐在梗子上，正如一个姑娘在没有订婚时那样坐着。可是，她们的数目非常多，选择很不容易。蝴蝶不愿意招来麻烦，因此就飞到雏菊那儿去。法国人把这种小花叫做"玛加丽特"。他们知道，她能作出预言。她是这样作的：情人们把她的花瓣一片一片地摘下来，每摘一片情人就问一个关于他们恋

人的事情："热情吗？——痛苦吗？——非常爱我吗？——只爱一点吗？——完全不爱吗？"以及诸如此类的问题。每个人可以用自己的语言问。

蝴蝶也来问了，但是他不摘下花瓣，却吻起每片花瓣来，因为他认为只有善意才能得到最好的回答。"亲爱的'玛加丽特'雏菊！"他说，"你是一切花中最聪明的女人。你会作出预言！我请求你告诉我，我应该娶这一位呢？还是娶那一位？我到底会得到哪一位呢？如果我知道的话，就可以直接向她飞去，向她求婚。"

可是"玛加丽特"不回答他。

她很生气，因为她还不过是一个少女，而他却已把她称为"女人"，这究竟有一个分别呀。他问了第二次，第三次。当他从她得不到半个字的回答的时候，就不再愿意问了。他飞走了，并且立刻开始他的求婚活动。这正是初春的时候，番

hóng huā hé xuě xíng huā zhèng zài shèng kāi
红花和雪形花正在盛开。

tā men fēi cháng hǎo kàn   hú dié shuō   jiǎn zhí shì yī qún qíng dòu
"她们非常好看，"蝴蝶说，"简直是一群情窦

chū kāi de kě ài de xiǎo gū niang dàn shì tài bù dǒng shì shì   tā xiàng suǒ yǒu
初开的可爱的小姑娘，但是太不懂世事。"他像所有

de nián qīng xiǎo huǒ zi yī yàng yào xún zhǎo nián jǐ jiào dà yī diǎn de nǚ zǐ
的年轻小伙子一样，要寻找年纪较大一点的女子。

yú shì   tā jiù fēi dào qiū mǔ dān nà ér qù   zhào tā de wèi kǒu shuō lái
于是，他就飞到秋牡丹那儿去。照他的胃口说来，

zhè xiē gū niang wèi miǎn kǔ wèi tài nóng le yī diǎn   zǐ luó lán yǒu diǎn tài rè
这些姑娘未免苦味太浓了一点。紫罗兰有点太热

qíng   yù jīn xiāng tài huá lì huáng shuǐ xiān tài píng mín huà pú tí shù huā tài
情；郁金香太华丽；黄水仙太平民化；菩提树花太

xiǎo   cǐ wài tā men de qīn qī yě tài duō píng guǒ shù huā kàn qǐ lái dào hěn
小，此外她们的亲戚也太多。苹果树花看起来倒很

xiàng méi gui dàn shì tā men jīn tiān kāi le   míng tiān jiù xiè le   zhǐ yào
像玫瑰，但是她们今天开了，明天就谢了——只要

fēng yī chuī jiù luò xià lái le   tā jué
风一吹就落下来了。他觉

de gēn tā men jié hūn shì bù huì cháng jiǔ
得跟她们结婚是不会长久

de   wān dòu huā zuì dòu rén ài   tā
的。豌豆花最逗人爱：她

yǒu hóng yǒu bái jì xián yǎ   yòu róu nèn
有红有白，既娴雅，又柔嫩，

tā shì jiā tíng guān niàn hěn qiáng de fù nǚ   wài
她是家庭观念很强的妇女，外

biǎo jì piào liang   zài chú fáng li yě hěn néng
表既漂亮，在厨房里也很能

gàn   dāng tā zhèng dǎ suan xiàng tā qiú hūn de
干。当他正打算向她求婚的

shí hou kàn dào zhè huā ér
时候，看到这花儿

de jìn páng yǒu yī gè dòu
的近旁有一个豆

jiá   dòu jiá de jiān duān
荚——豆荚的尖端

上挂着一朵枯萎了的花。

"这是谁？"他问。"这是我的姐姐，"豌豆花说。"乖乖！那么你将来也会像她一样了！"他说。这使蝴蝶大吃一惊，于是他就飞走了。金银花悬在篱笆上，像她这样的女子，数目还不少；她们都板平面孔，皮肤发黄。不成，他不喜欢这种类型的女子。不过他究竟喜欢谁呢？你去问他吧！

春天过去了，夏天也快要告一结束。现在是秋天了，但是他仍然犹豫不决。现在花儿都穿上了她们最华丽的衣服，但是有什么用呢——她们已经失去了那种新鲜的、喷香的青春味儿。人上了年纪，心中喜欢的就是香味呀。特别

是在天竺牡丹和干菊花中间，香味

这东西可说是没有了。因此蝴

蝶就飞向地上长着的薄荷那儿

去。"她可以说没有花，但是全

身又都是花，从头到脚都有香

气，连每一片叶子上都有花香。

我要娶她！"

于是，他就对她提出婚

事。薄荷端端正正地站

着，一声不响。最后她

说："交朋友是可以的，

但是别的事情都谈不上。我老了，你也老了，我们可

以彼此照顾。但是结婚——那可不成！像我们这样

大的年纪，不要自己开自己的玩笑吧！"这么一来，

蝴蝶就没有找到太太的机会了。他挑选太久了，不

是好办法。结果，蝴蝶就成了大家所谓的老单身汉了。

这是晚秋季节，天气多雨而阴沉。风儿把寒气

吹在老柳树的背上，弄得它们发出飕飕的响声来。

如果这时还穿着夏天的衣服在外面寻花问柳，那是

不好的，因为这样，正如大家说的一样，会受到批评的。的确，蝴蝶也没有在外面乱飞。他乘着一个偶然的机会溜到一个房间里去了。这儿火炉里面生着火，像夏天一样温暖。他满可以生活得很好的，不过，"只是活下去还不够！"他说，"一个人应该有自由、阳光和一朵小小的花儿！"他撞着窗玻璃飞，被人观看和欣赏，然后就被穿在一根针上，藏在一个小古董匣子里面。这是人们最欣赏他的一种表示。"现在我像花儿一样，栖在一根梗子上了。"蝴蝶说。"这的确是不太愉快的，这几乎跟结婚没有两样，因为我现在算是牢牢地固定下来了。"他用这种思想来安慰自己。"这是一种可怜的安慰。"房子里的栽在盆里的花儿说。"可是，"蝴蝶想，"一个人不应该相信这些盆里的花儿的话，她们跟人类的来往太密切了。"